袁冀著

文史哲學集成

元吳草廬評述

文史哲出版社印行

文史哲學集成

元吳草廬評述

著者：袁冀（國藩）
出版者：文史哲出版社
登記證字號：行政院新聞局局版臺業字〇七五五號
發行所：文史哲出版社
印刷者：文史哲出版社
臺北市羅斯福路一段七十二巷四號
臺北市郵政信箱七一九九九號
郵政劃撥儲金帳戶一六九九五號
電話：三五一一〇二八

定價：新臺幣三〇〇元

中華民國六十七年元月初版

作者簡介

袁　冀

河南省虞城縣人

現任空軍官校副教授

原名國藩。六十二年始據國防部令，更學戶籍與作品爲今名。

曾著元許魯齋評述、元史研究論集、從元代蒙古習俗軍事論元代蒙古文化、元太保藏春散人劉秉忠評述、元代玄教考、元劉靜修年譜、蒙古戰史　元史論叢　俄帝侵華戰略及其第五縱隊。

元吳草廬評述

袁冀（國藩）

目錄

第三章　學養詩文造詣考
——兼論其對學術思想之貢獻與影響

第四章　門弟子考
——試補宋元學案之草廬學案

元吳草廬評述

參考書目

第一章　前　言

一、研究之動機

吳澄，字幼清，晚號伯清，撫之崇仁人。因嘗營茅舍數椽，同門程雪樓鉅夫，題之曰草廬，故世人遂以草廬先生稱之。

草廬早歲，資斂殊絕，幾可過目成誦。及長，復銳意德業，以道統自任，且老而彌篤。故用功之勤，進德之猛，歷觀一代之士君子，未之若也。因嘗師事程徽菴若庸、戴泉溪良齊，復遊於程月巖紹開之門。是以，學承新安，兼出金谿。故其爲學，輒能窮洙泗而達其源，本程朱而得其奧。攝王陸之旨，以爲助。綜朱陸之異同，而執其中。

用能疏解群經，釋滌百氏。正其文字之簡錯，厘其章句之紊亂。一其紛雜之釋，破其穿鑿之解。抉幽闡微，剔僞存眞。綱擧目張，造妙論宏。冶諸家於一爐，極先聖之至道。扶世立敎之功，良亦溥焉。

兼以，一生勤於著述，至老不輟。故著作之豐，除燬於兵火，業巳殘缺之吳文正集一百卷外；尙校註詩書易、三禮、春秋、孝經、老子、莊子、太玄經、張子書、邵子書，以及八陣圖、樂律、葬書等。而於易、書、春秋、禮記，各有纂言，盡破傳註之穿鑿，以發諸經之正義。條歸紀敘，精明簡潔，卓然成一家之言，視漢儒之名家專業者有間矣！

復司業國學，主講經筵。典詔令於翰苑，修英廟之實錄。故德望冠絕於時，天下學者，翕然歸之。弟子之衆，常至千數百人。而四方之士，有不憚數千里，躡履負笈，來歸門下者。

至其詩文，亦清婉超逸，典雅宏麗。且諸體皆備，斐然可觀。迥非魯齋許衡之詩文，質樸達意而已者，所可企及。

故世論以爲，朱子而後，論學問之宏肆賅博，未之有也。用能配祀宣廟，爲後世尊爲百代之師。是以，吳澄一生，殊具深入研究之價值。

二、撰述之步驟

(甲)凡關其一生之行事，有年可稽者，皆按年繫入行事編年。且採一事一條，附以出處之節文，以期眉目清醒，而便查考。

(乙)凡關紀年不詳，無法稽考之行事，如其學養之境界、詩文之造詣、風範之評述，以及交遊唱和與門弟子之情形，則另立專目，別加考述。且仍附以出處之節文，以利審閱。

(丙)至其紀年，以草廬生當元季，故其編年之紀年，以元紀爲主；然亦附列宋金西元甲子之紀年，并兼採斯時與國計民生關係之尤要者，按年譜入，且附其出處之節文，以便概見草廬生當離亂，及天下大勢之情形。

第二章　行事編年

一、幼年篤學與銳意墳典時期

元定宗后稱制二年、宋理宗淳祐九年、西元一二四九年、歲己酉。一歲。

先生諱澄，字幼清，晚號伯清，姓吳氏，撫之崇仁人。

道園學古錄卷四十四「故翰林學士資善大夫知制誥同修國史臨川吳公行狀」：「本貫撫州路崇仁縣、崇仁鄉咸口里……。先生諱澄，字幼清，晚號伯清，姓吳氏。」

後因程鉅夫，題其所營茅舍數間，曰草廬，故世人遂以草廬先生稱焉。

新元史卷一七〇「吳澄」：「時宋亡徵己見，澄以其學，敎授鄉人。作草屋數間，題其牖曰：『抱膝梁父吟，浩歌出師表。』程鉅夫與澄爲同學，知其意，題之曰草廬，學生遂稱之曰草廬先生。」

其先豐城人，六世祖周，始徙家崇仁之坫原。逮高祖煜時，有盜自寧都來，廬舍盡燬，方營新宅於吳山下之咸口。

吳文正集附錄「年譜」：「其先七世，始自豐城，徙撫之崇仁縣。六世周，始居崇仁鄉之坫原。生二子璣、璹……，璹生煜，公高祖也……。有寇自寧都境至，屋廬盡燬。改築於吳山下，曰咸口。」

咸口，當華蓋山之陰，臨川山之陽，去二山各十五里，山明水秀之區也。

吳文正集卷八十六「故逸士袁君修德墓誌銘」：「吾家臨川山之陽，華蓋山之陰，距邑百里。」

吳文正集附錄「年譜」：「至大元年……九月，改築宅於咸口，此故宅基；華蓋臨川二山，南北對峙，相去各十有五里，山水明秀。」

江西通志卷五十二「山川略、撫州府、華蓋山」：「在崇仁縣南一百里，亦名寶蓋山，嵂崒修廣，跨縣及宜黃、樂安二縣……。上有三仙觀……，捨身崖、定風石、金鷄巖、紫元洞及龍潭，靈跡甚多。」

古今圖書集成卷八八五「撫州府部、山川考、崇仁縣、巴山」：「在縣南六十里，有欒巴祠故名。唐改曰臨川山，宋邑宰……，又改爲相山。」

大父鐸，工詩賦，精通天文星曆之學。祖妣謝氏。

吳文正集附錄「年譜」：「祖考鐸，工進士詩賦，精通天文星曆之學，寬厚不屑細務。」

道園學古錄卷四十四「故翰林學士資善大夫知制誥同修國史臨川吳公行狀」：「祖鐸……，妣謝氏。」

考樞，樂善好施，終生以爲常。嘗當大疫，醫者不敢往視。乃煮善藥，親往救治，全活者數十家。妣游氏，生二子，先生其伯也。

吳文正集附錄「年譜」：「考樞、溫粹純實，謙退不與人爭善。爲方里嘗大札，業醫者多畏傳染，不敢往視。或盡室不起，乃煮善藥，命一力持自隨，給以飲之，全活者數十家。有喪不能舉者，竭力周恤，終身以爲常。妣游氏，生二子，長則公也。」

後以公貴，祖贈宣撫，父贈左丞。

道園學古錄卷四十四「故翰林學士資善大夫知制誥同修國史臨川吳公行狀」：「祖鐸贈中奉大夫淮東道宣撫使護軍，追封臨川郡公，妣謝氏，追封臨川郡夫人。考樞，贈資善大夫湖廣等處行省左丞上護軍，追封臨川郡公，妣游氏，追封臨川郡夫人。」

世有積德，書香之家也。

吳文正集附錄「神道碑」：「世有積德，爲儒家。」

先生之生，頗多異徵。先是有豐城望氣者徐覺言：咸口當華蓋、臨川二山之間，有紫氣出焉，將生異人。

吳文正集附錄「年譜」：「里父老云：豐城徐覺，得望氣之術，見紫氣於華蓋臨川二山之間。謂人曰：是必有蓋世偉人生焉。」

及先生以是年正月十九日，生於祖宅。鄉父老復於前夕，見異氣降其家。

道園學古錄卷四十四「故翰林學士資善大夫知制誥同修國史臨川吳公行狀」：「先生以宋淳祐九年己酉，正月十九日生。前一夕，鄉父老見異氣降其家。」

隣媼亦夢有物蜿蜒，降其宅旁之池中。旦以告人，先生已生。

元史卷一七一「吳澄」：「隣媼復夢有物蜿蜒，降其舍旁池中，旦以告人，而澄生。」時父年二十五也。

吳文正集卷十五「秋山翁詩集序」：「歲在庚辰……，越十有六年（按：乙未），翁過予山中……。翁與先君子同年生……，翁今年七十有一……，翁康氏，字敬德。」

按自庚辰，越十六年爲乙未。自乙未，上推七十一年爲乙酉。復自乙酉，下推至先生之生年，父年二十五也。

元憲宗元年、宋理宗淳祐十一年、西元一二五一年、歲辛亥。三歲。

穎悟日發，大父每讀古詩，抱置膝上教之，隨口成誦，漸至數百篇。

道園學古錄卷四十四「故翰林學士資善大夫知制誥同修國史臨川吳公行狀」：「三歲，穎異日發，宣慰公（按：大父）抱置膝上，教之古詩，隨口成誦。」

吳文正集附錄「神道碑」：「三歲，能誦詩歌數百篇。」

母游夫人，携之會親，姥姥惠以錢果，雖敬受，終密置而去。

吳文正集附錄「年譜」：「游夫人携過里，姥姥惠以錢果，公敬受，終有愧色，密置之而去。」

是歲六月，憲宗蒙哥，因拔都之力，即位。

元史卷四「世祖」：「辛亥六月，憲宗即位。」

新元史卷一〇六「拔都」：「朮赤第二子……，定宗崩……，定宗皇后不發喪，先赴于睿宗妃及拔都，自請攝政，以待立君，拔都允之。召諸王大將於阿勒塔克，議立君，皇后亦遣使預會。有建議，拔都最長當立者，拔都不可。衆曰：王既不自立，請審擇一人，以踐大位。拔都曰：我國幅員甚廣，非聰明睿智，能效法太祖者，不克勝任，我意在蒙哥。衆曰然，議遂定。明年，拔都遣伯勒克、脫哈帖木兒，將兵衞憲宗而東，大會將王於斡灘河、克魯倫河之間，奉憲宗卽位。」

此固因拔都與乃母唆魯忽帖塔尼親厚。

新元史卷一〇四「顯懿莊聖皇后」：「克烈氏，諱唆魯忽帖塔尼，太宗母弟拖雷妃，憲宗世祖母也……。有才智，能馭衆，與太祖長孫拔都親厚。」

然亦係拔都向太宗與察哈台之子孫，報其兩世受辱之恨，有以致之。

元史秘史卷十三「征回回」：「其後太祖征回回……，臨行時，也遂夫人說：皇帝涉歷山川，遠去征戰，若一旦倘有諱，四子內，命誰爲主？可令人先知。太祖說：也遂說的是……。於是問拙赤，我子內，你是最長的，說甚麼？拙赤未對，察阿歹說：父親問拙赤，莫非要委付他？他是蔑兒乞種帶來的，俺如何教他管？纔說罷，拙赤起身將察阿歹衣領揫住說：父親不曾分揀，你敢如此說？你除剛硬，再有何技能……？我與你賽相搏，你若勝我時，倒了處不再起來，說了……，兄弟各將衣領揫了。孛斡兒出、木合里二人勸解，太祖默坐。」

元朝秘史卷十四「征康里乞卜察等十一部城池百姓」：「巴都自乞卜察着使奏來說：賴長生天的氣力，皇帝叔父的福蔭，將十一種國土百姓，都收捕了。因大軍回，各人分離，會諸王做筵席於內。我年長些，先吃了一二盞，不里（按：察合台子）克余克（按：太宗子定宗）兩個惱了，不曾筵會成。不里說：巴都與我一般，如何先飲？他是有髯的婦人（按：意爲養漢婆娘，語涉太宗生母），我脚後跟，推倒踏他。克余克說：他是帶箭的婦人，胸前教柴打他……。如此說了……，皇帝叔父知也者。」

憲宗旣立，以同母弟，惟忽必烈最賢且長，因詔漠南軍國重事，悉聽裁處，開府金蓮川，得專封拜。

元史卷四「世祖」：「憲宗卽位，同母弟惟帝最長且賢，憲宗屬以漠南漢地，軍國庶事。」

新元史卷七「世祖」：「憲宗卽位，詔漠南漢地，軍國之事，悉聽裁決，開府金蓮川，得專封拜。」

讀史方輿紀要卷十八「萬全指揮司、金蓮川」：「堡（按：雲州堡）東北百里，川產黃花，狀若芙蓉，因名……。元主忽必烈，爲諸王時，總　漠南，開府金蓮川，卽此。」

凡此，對日後之亞洲局勢，無不構成巨大且復深遠之影響。蓋前者，爲元代諸王叛亂，寖至蒙古帝國，趨於瓦解之造因。

元史紀事本末卷二「北邊諸王之亂」：「張溥曰：蒙古定宗貴由之殂也，牝后稱制，君位久虛。兀良合台等，推憲宗蒙哥卽位。失烈門與諸王，心不能平，憲宗遂肆殺戮，宗族解體。」

後者，爲世祖日益漢化，終至入承大統，推行漢政之肇基。

劉太傅藏春集卷首「黎近後序」：「際遇世祖於潛邸，教其收攬中夏之雄才碩學。」

劉太傅藏春集附錄「故光祿大夫太保贈太傅儀同三司文貞劉公神道碑銘幷序」：「燕閒之際，每承顧問，輒推薦南州人物，可備器使者，宜見錄用。由是弓旌之所招，蒲輪之所趕，耆儒碩德、奇才異能之士，茅拔茹連，至無虛月。逮今三十年間，榜歷朝省，班布郡縣，贊維新之化，成治安之功者，皆公平昔推薦之餘也。」

按太保劉秉忠，自太宗十一年，入侍世祖潛邸，敎其收攬天下英豪；此固爲世祖日益漢化之因素，然亦爲其後日入承大統，推行漢政之肇基。

元憲宗二年、宋理宗淳祐十二年、西元一二五二年、歲壬子。四歲。

七月，憲宗詔忽必烈征大理。

元史卷三「憲宗」：「二年……秋七月，命忽必烈征大理。」

古今圖書集成卷一四五四「雲南總部、六詔」：「乃西南夷，據雲南全省之地。夷語謂王爲詔，其都大理。六詔俱姓蒙氏……，至皮羅閣，始強盛，滅五詔而王，總名南詔，遷大理，名太和城。」

丙午，忽必烈禡牙西行。

元史卷四「世祖」：「歲壬子……，夏六月，入覲憲宗於曲先惱兒之地，命令帥師征雲南。七月丙午，禡牙西行。」

王忠文公集卷十三「纂漢禡牙辭」：「國制：天子將出征，類于上帝，宜于社，造于禰，肆師爲帝位，禡于所征之地。詩曰：旣禡旣禱，釋者謂：至所征之地，而祭始軍者，乃黃帝蚩尤也。漢祀八神，其三曰兵，主祠蚩尤。高祖爲沛公，徇，祠黃帝，祭蚩尤於庭而釁鼓，即所謂禡牙也。武帝時，伐南粵，爲泰一鋒旗，命曰靈旗，爲兵禱，則太史奉以指伐國。後世瑪牙之制，其仿于此。」

按元代禡牙之制，不可考，亦未必類此。然引此，可供以概見禡牙之情形也。

元憲宗三年、宋理宗寶祐元年、西元一二五三年、歲癸丑。五歲。

始就外傅，穎悟殊絕，日受千百言，誦之數過，即記不忘。

吳文正集附錄「年譜」：「公五歲，始就外傅，穎敏殊絕。讀書累千百餘言，數過即能記。」

母憂其勤，不多與膏火；先生每候母寢，復讀達旦。

新元史卷一七〇「吳澄」：「五歲，日受千餘言，夜讀書達旦，母憂其過勤，不多與膏火，澄候母寢，燃膏復讀。」

是歲十二月，忽必烈平大理。

元史卷四「世祖」：「癸丑……十二月丙辰，薄大理。初大理段氏微弱，國事決於高祥高和兄弟。是夜，祥率衆遁去……，帝既入大理……，留大將兀良合帶戍守……，遂班師。」

嘗駐蹕城澄。

大理紀行「城澄」：「曰威楚……，州之北行數百步，地極明秀，蒙詔成王保和九年，即其地建遍和寺。其殿像壁繪，於今罕見，意非漢名筆，不能造也。出寺門，東北行，一里許，有高原，號城澄，其地空而不耕，乃世祖駐蹕之所也。」

元憲宗五年、宋理宗寶祐三年、西元一二五五年、歲乙卯。　七歲。

五經語孟，皆能默誦。能屬詩，通進士賦。

吳文正集附錄「神道碑」：「七歲，能默誦五經。」

道園學古錄卷四十四「故翰林學士資善大夫知制誥同修國史臨川吳公行狀」：「七歲，論語孟子五經，皆成誦，能著律賦。」

元憲宗六年、宋理宗寶祐四年、西元一二五六年、歲丙辰。　八歲。

三月，忽必烈詔劉秉忠與其弟子趙秉溫，相宅築城。

滋溪文稿卷二十二「昭文館大學士中奉大夫知太史院侍儀事趙文昭公行狀」：「諱秉溫，字行直……。詔擇吉土，建兩都，命公與太保劉公，同相宅。」

新元史卷一四五「趙秉溫」：「侍世祖於潛邸，命受學於太保劉秉忠。」

以爲展親朝會之所。茲爲漠北漢南，道里居中計。

清容居士集卷二十五「華巖寺碑」：「世祖皇帝治軍和林，相厥地利，曰維灤陽。展親朝會，茲爲道里得中，稽衆契龜，僉告允吉。」

金華黃先生文集卷八「上都大龍光華嚴寺碑」：「世祖皇帝，始在潛邸，駐軍和林，念國家龍興朔漠，奄有萬邦，聲教所覃，地大且遠。會朝展親，奉貢述職，道里宜均，爰相地……建開平府。」

卜以桓州東，龍岡北爲吉。

元朝名臣事略卷七「太保劉文正公」：「公以桓州東、灤水北之龍岡，卜云其吉。」

讀史方輿紀要卷十八「開平故衞、臥龍山」：「衞北三里，元人所謂龍岡也……。去雲州堡，四百五十里。」

古今圖書集成卷一五六「宣化府、古蹟考、桓州城」：「在雲州堡北三百六十里，古上谷地，金時築，尙有遺址。」

詔賈居貞、高觽共董其役。

元朝名臣事略卷十一「參政賈文正公」：「公名居貞，字仲明……。世祖淵龍，驛致諸邸，與語意合，俾董上都。」

道園學古錄卷十七「高魯公神道碑」：「諱觽，字彥解……。事世祖於潛邸，以愼密受知……。世祖城上都，命公董役。」

後賜名開平，加號上都。與大都燕京，同爲一代發號施令之所。

元史卷五十八「地理志、上都路」：「中統元年以爲開平府、五年（按：至元元年），以闕庭所在，加號上都，歲一幸焉。」

元憲宗七年、宋理宗寶祐五年、西元一二五七年、歲丁巳。　九歲。

鄉邑課試，每中前列。

元史卷一七一「吳澄」：「九歲，從群弟子試鄉校，每中前列。」

元憲宗八年、宋理宗寶祐六年、西元一二五八年、歲戊午。十歲，居崇仁。

偶得朱子大學中庸章句，讀之甚喜，恍然知爲學之道。自是，日誦大學二十遍，如是者三年。語孟中庸，亦晝誦夜思，弗達弗措。

吳文正集附錄「年譜」：「十歲，偶於故書中，得大學中庸章句，讀之甚喜。自是，清晨必誦大學二十過者千餘日。」

道園學古錄卷四十四「故翰林學士資善大夫知制誥同修國史臨川吳公行狀」：「十歲，始得朱子大學等書而讀之，恍然知爲學之要。日誦大學二十過，如是者三年。次第讀論語孟子中庸，專勤亦如之。晝誦夜維，弗達弗措。」

吳文正集附錄「神道碑」：「十歲，知爲學之本，大肆力於朱子諸書，猶以大學爲入道之門，必日誦二十過，如是者三年。」

唯新元史本傳，謂在九歲，未知何所本？茲從年譜、行狀、神道碑所載。

新元史卷一七〇「吳澄」：「九歲，日誦大學二十過，次第讀論語孟子中庸，如是者三年。」

元憲宗九年、宋理宗開慶元年、西元一二五九年、歲己未。十一歲。

七月，憲宗崩于釣魚山。

元史卷三「憲宗」、……「九年己未……六月，帝不豫。秋七月……癸亥，帝崩于釣魚山。」

讀史方輿紀要卷六十九「重慶府、合州、釣魚山」：「在州東十二里，涪江在其南，嘉陵江逕其北。東西南皆扼江，峭壁懸崖，山南有大石，平如砥山，上有天池，周五百餘步，大旱不涸……。」

元世祖中統元年、宋理宗景定元年、西元一二六〇年、歲庚申。十二歲。

三月十七日，世祖忽必烈，即位于開平。

秋澗大全集卷八十「中堂紀事」：「庚申年，春三月十七日，世祖皇帝卽位于開平。」

西北諸王皆叛。蓋太宗與察合台諸王，不滿昔日帝系之轉移。而幼弟及蒙哥之後王，則謂帝非法自立也。

新元史卷一一〇「阿里不哥」：「拖雷第七子，世祖同母弟也……。中統元年，世祖卽位於開平，阿里不哥亦僭號於和林城按坦河。太宗後王海都，憲宗後王阿速帶、玉龍答失、昔里吉、察合台後王阿魯忽、曲里堅子阿爾喀台、旭烈兀子出水哈兒等，及拔都母庫托克台可敦，皆附之。」

元史卷四「世祖」：「中統元年春三月戊辰朔，車駕幸開平。親王哈丹、阿只吉率西道諸王，塔察兒……率東道諸王來會，與諸大臣勸進……。辛卯，帝卽皇帝位。」

按太宗崩後，由其子定宗貴由入承。及定宗崩，由憲宗蒙哥入承。故帝系，已由太宗窩濶台一系，轉入拖雷後人之手。復按庫烈爾台立君大會之召開，必四系諸王成集，且應遵祖宗之制，於和林召開也。以世祖會于開平，且若干宗親未至，故有斯謂也。

元世祖中統二年、宋理宗景定二年、西元一二六一年、歲辛酉。十三歲。

大肆力於群書，應擧之文盡通。因家貧，嘗從鬻書者，借讀古文集成。踰月還之，問之曰：盡讀之乎？曰然。試問之，隨問隨答，輒終其篇。鬻書者大異之，因以是書爲贈。

吳文正集附錄「年譜」：「十三歲，大肆力於群書，應擧之文盡通。公於書一覽，無不盡記。時麻沙新刻古文集成，因家貧，從鬻書者借讀，踰月而歸之。鬻書者曰：子能盡讀之乎？公曰：試抽以問我，隨鬻書者擧問，輒盡其章。鬻書者驚異，遂贈以此書。」

元世祖中統三年、宋理宗景定三年、西元一二六二年、歲壬戌。十四歲。

赴郡學補試，同邸臨川許功甫驚其文，嘗勉而敎之。

道園學古錄卷四十四「故翰林學士資善大夫知制誥同修國史臨川吳公行狀」：「十四歲，總角赴郡學補試，郡之前輩儒者，皆驚其文。」

吳文正集卷七十三「許母王夫人墓誌銘」：「昔年予以童生，就郡學補試，同邸有先生長者，視余所作賦，勉而敎之……，臨川許先生功甫也。」

是歲三月，李壇獻漣海三城與宋，竊據濟南叛。中書平章王文統，坐同謀伏誅。

新元史卷七「世祖」：「中統三年……三月乙丑，李壇擧兵反……。己酉王文統坐同謀伏誅。」

元史卷二〇六「李壇」：「小字松壽，濰州人，李全子也……。太祖十三年，全叛宋擧山東州郡歸附……。太宗三年，全攻揚州敗死，壇遂襲爲益都行省……。三年……，壇遂以漣海三城獻於宋……。壬子，壇盜據濟南……。五月庚申，築環城圍之……。爲官兵所獲……誅焉。」

新元史卷二二二「王文統」：「李壇反……，聞人多言，文統嘗遣子蕘，與壇通書問，世祖召問文統……。會李壇遣人持文統三書，自洺水至，爲邏者所獲。以書示之，文統始錯愕駭汗……，乃誅文統。」

平章趙壁因言，王某以廉希憲與張易之薦，遂致大用，安得不坐？

元朝名臣事略卷七「平章廉文正王」：「方逆壇未誅，平章趙壁，素忌公勳名，倡名王文統一窮措大，由廉某張易薦，遂致大用，今日安得不坐？」

興元府同知費寅，宋之牒也。因事敗銜之，亦以九事上訴於朝。誣商挺廉希憲爲王文統西南之黨，幷引趙良弼以爲徵。

元朝名臣事略卷十二「樞密趙文正公」：「二年冬，省諸侯宣撫司，遂不出。居無何，費寅以九事訴於朝，誣商公廉公有異志，指公爲徵。寅，成都人，初我師取四川，攻之急，宋邊將力憊不支，遣寅入秦爲間。厚資之，使仕於我。寅桀黠，久不敗，至同知興元府事。後以姦惡事覺，宣撫司鞫之，獄成待報。會赦免，寅銜之，捃摭二公所行，涉於疑似者，攻訐以報怨。」

牧庵集卷十五「中書左丞姚文獻公神道碑」：「三年，文統伏誅……。然文統之相，參知政事商公挺實譽之。至是，費寅以九事中時憲忌，訟商公爲文統西南之朋，引使西郎中行宣撫使趙良弼爲徵。」

西域人，亦群起上言，以爲回回雖不時竊國家財帛，然未若漢士大夫之胆敢謀反也。

牧庵集卷十五「中書左丞姚文獻公神道碑」：「三年，文統伏誅。西域之人，爲所壓抑者，伏闕群言：回回雖時盜國家財物，未若秀才敢爲反逆。」

由是，上命幽商挺於上都。以趙良弼多智略，特詔械繫於獄。

元朝名臣事略卷十二「樞密趙文正公」：「時方懲李壇王文統之叛，上聞是說，信之。召公問焉。對曰：臣與二人共事九年，寧有是事！再三問，對如初。訊以九事，皆枚擧以對。上以彊辯飾詞，益怒，威行臨恐，譴訶百至，公守前說，而力辯其誣。」

牧庵集卷十五「中書左丞姚文獻公神道碑」：「幽商挺於上都，以良弼多智略，疑爲文統流亞，械繫於獄。」

復夜半亟召廉希憲，詢以昔日在鄂，薦王文統之情形。

元朝名臣事略卷七「平章廉文正王」：「一日夜半，中使召公入，從容道潛邸事，良久及趙言。公曰：向行蹕駐鄂，賈似道以木柵環城，一夕而辦。聖諭謂扈從諸臣曰：吾安得如賈似道者用之。秉忠、易進言：山東有王文統，才智士也，今爲李壇幕僚。詔問臣，臣對亦聞之，其心固未識也。上曰然，朕亦記此。」

兼以言者謂：逆壇之叛，由諸將權重。故漢軍重鎮史天澤奏曰：軍民之政，不可併在一門。行之，請自臣家始。於是，史氏子弟，卽日解紱而退者十有七人。

新元史卷一三八「史天澤」：「言者謂：李壇之變，由諸將權太重。天澤遂奏：兵民之官，不可併在一門，行之，請自臣家始。於是，史氏解兵符者十七人。」

形成元初政治上最大之政潮。

元世祖中統四年、宋理宗景定四年、西元一二六三年、歲癸辰。十五歲。

知厭科擧之業，而致力於聖賢之學。因作勤謹二箴，敬和二銘，以自警惕策勵。

道園學古錄卷四十四「故翰林學士資善大夫知制誥同修國史臨川吳公行狀」：「十五歲，知厭科擧之業，而致力於聖賢之學。見朱子訓子帖，有勤謹二字，如得面命，而服行之。作勤謹二箴，又作敬銘……，和銘……。常自言曰：讀敬銘，如臨嚴師，如在靈祠，百妄俱消而不自覺，足之重，手之恭。讀和銘，心神怡曠，萬境皆融，熙熙然不知手之舞，足之蹈也」。

元世祖至元元年、宋理宗景定五年、西元一二六四年、歲甲子。十六歲。

是歲，大父赴郡鄉試，先生侍行。因謁臨汝書院山長程徽庵若庸，徽庵因先生之質疑，大器之。自是，每至郡城，必留臨汝。

吳文正集附錄「年譜」：「五年甲子秋，侍大父如郡城……，赴鄉試。會郡守延致番易程先生若庸於臨汝書院……，公謁見升堂，歷觀其標貼壁間之說，有不盡合於朱子，公乃一一請問。如所謂大學，爲正大光明之學，然則小學，其卑小淺陋之學乎？程先生悚然曰：若庸處此，未見知學能問如子者。余之子仔復，族子檍之，皆與子同年生，可相與爲友。自是，每至郡，必留臨汝。」唯郜庵所撰行狀，謂在去歲。

道園學古錄卷四十四「故翰林學士資善大夫知制誥同修國史臨川吳公行狀」：「十五歲……，是年宣慰公（按：先生之祖）赴鄉試，先生侍行。」

茲從年譜之說，繫此事於是年。蓋年譜，先生長孫當所編定。

吳文正集附錄「年譜并序」：「初公既捐館，其長孫當，嘗草定次序……，數朞素（按：危）刊訂其書，以傳於世。」

且神道碑亦謂，事在是年也。

吳文正集附錄「神道碑」：「十六，拜程若庸先生，友程文憲公鉅夫。」

按徽庵，名若庸，字逢源，休寧人。朱子再傳，饒雙峰魯之門人，嘗歷主師席於安定、臨汝、武夷諸書院。所著性理字訓講義等，陳定宇極稱之。

宋元學案卷八十五「雙峯學案」：「雙峯門人，山長程徽庵先生若庸：字逢源，休寧人，從雙峰及沈毅齋貴珍，得朱子之學。淳祐間，聘湖州安定書院山長。馮去疾創臨汝書院於撫州，復聘爲山長。咸淳間，登進士，授武夷書院山長。累主師席，其從游者最盛，稱徽庵先生，著有性理字訓講義，太極洪範圖說，陳定宇極稱其字訓。」

臨汝書院，在撫州城西二里許，淳祐九年，馮去疾所創建。

大清一統志卷三二三「江西統部、撫州府、學校」：「臨汝書院，在臨川縣西南二里，宋淳祐九年，江南西路提舉馮去疾，以朱子嘗臨是郡，立書院祀之。」

道園學古錄卷三十八「撫州臨汝書院復南湖記」：「臨川臨汝書院，在郡城西二里許……，常平使者都昌馮公去疾，卽湖爲堂。」

元世祖至元二年、宋度宗咸淳元年、西元一二六五年、歲乙丑。十七歲。

八月，作雜識五章。十月，作顏冉銘。

吳文正集附錄「年譜」：「八月，作襍識五章。十月己丑，作顏冉銘。」

多，大父病久稍間，謂先生之父曰：吾察此孫，精神健旺，勤勞有恒，此大器也，可善教之。

道園學古錄卷四十四「故翰林學士資善大夫知制誥同修國史臨川吳公行狀」：「咸淳元年多，左丞公（按：先生之父）侍宣慰公之疾，久而小間，宣慰謂左丞曰：吾察此孫，晝夜服勤，連月不懈，而精神有餘，此大器也，可善教之。蓋宣慰自襁褓知愛先生，間形於言，而親戚鄉里，以爲有譽孫之癖矣！」

十二月戊子，大父卒。營葬治喪，先生悉考古制，稟嚴命而行。

吳文正集附錄「年譜」：「十二月戊子，大父卒。喪葬凡役，公悉考古制，稟於父左丞公行之。」

元世祖至元三年、宋度宗咸淳二年、西元一二六七年、歲丙寅。十八歲。

多，葬大父於玷原祖宅。十一月壬子，作理一箴。

吳文正集附錄「年譜」：「多，葬大父於砧原之古宅。十一月壬子，作理一箴。」

是歲，季妹生。

吳文正集卷八十「貴谿故翁十朋妻李氏墓誌銘」：「先妣李氏……，年僅六十而終……。其年又與吾之季妹同……。李氏諱如蘊，泰定二年乙丑二月六日卒。」按：先生之季妹，既與李氏同年，故自泰定二年乙丑，上推六十年，卽丙寅，爲先生季妹之生年，故繫此事於是年。

復有「自警」七言一首，以爲策勵。

吳文正集卷一〇〇「自警：前丙寅十八歲作」：「氣昏嗜臥害非輕，才到更初因倦生。必有事焉常恐恐，直教心中常悢悢。縱當意思沈如醉，打起精神坐到明。着此一鞭能勇猛，做何事業不能成！」

元世祖至元四年、宋度宗咸淳三年、西元一二六八年、歲丁卯。十九歲。

是歲，入臨汝書院就學，從程徽庵受業。

程雪樓文集卷首「楚國文憲公雪樓程先生年譜」：「咸淳三年丁卯，公年十九歲，游臨川，讀書臨汝書院，受業族叔徽庵先生若庸，與翰林學士吳文正公澂爲同門。」

按先生十六歲，始謁徽庵於臨汝。其後，雖游其門，猶未入臨汝就學也。故有每至郡城，必留臨汝之謂。復按，程鉅夫十九歲，始來臨汝，故先生與之同學，亦卽入臨汝就學，最早亦當始於是年。至於行狀年譜雖謂，先生十六歲時，徽庵嘗告之曰：余子仔復，族子樵之，與子同年，可以同學爲友。以鉅夫斯時，尚不在臨汝，故度其文意，似爲期約使來之意。而神道碑雖亦謂，先生年十六，友程鉅夫。然他人所撰碑版文字，終不若出自家人手筆之程譜，爲可信亦復可靠焉。且特爲器重。蓋堂山李部使，未識先生，即於百數人中，獨優禮先生與程鉅夫者，當出徽庵之譽揚也。

程雪樓集卷二十五「題李氏家集」：「余少與吳幼清學於臨汝，時人莫之知，適部使堂山李公來，未始識面，忽獨知余二人於數百人中，待之者特異，余二人亦不知何以辱此也。」

斯時同門之可考者，僅程仔復、程鉅夫及吳德溥三人而已。

道園學古錄卷四十四「故翰林學士資善大夫知制誥同修國史吳公行狀」：「徽庵曰：吾處此久矣，未見如子能問者。吾有子曰仔復，族子櫄之，與子年相若，可同學爲友。櫄之者，盱江程文憲公文海，鉅夫舊名也。」

道園學古錄卷十八「故梅隱先生吳君墓誌」：「吳氏自金陵，遷廣信之弋陽。宋初……，遷臨川金谿之沙岡……。士亨生登仕郎德溥，其壯時，值常平使者，方作學官於郡城南，延徽庵程氏爲之師。國朝程文憲公鉅夫，吳文正公澄，皆當時弟子員，與登仕爲同舍生……。既老種梅爲圃……，人以是稱梅隱先生。」

嘗作自新、自修、消人慾、長天理、克己、悔過諸銘，及道統圖幷序。

吳文正集附錄「年譜」：「十九歲，作道統圖幷序……。作自新、自修、消人慾、長天理、克己，悔過諸銘。」

深自警惕策勵，隱然有道統自任之志。

新元史一七〇「吳澄」：「十九歲，著說曰：堯舜而下，其亨也。洙泗魯鄒，其利也。濂洛關閩，其貞也。分言之……近世之統，周子其元也？程張其亨也，朱子其利也，孰爲今日之貞乎？未之聞也。然則可以終無所歸乎？其以道統自任如此。」

道園學古錄卷四十四「故翰林學士資善大夫知制誥同修國史臨川吳公行狀」：「十九歲……，又嘗與人書曰：天生豪傑之士，不數也……。孟子沒千餘年，溺於俗儒之陋習，淫於佛老之異教，無一豪傑之士，生於其間。至於周程張邵，一時迭出，非豪傑孰能與斯乎！又百年，而朱子集數子之大成，則中興之豪傑也。以紹朱子之統自任者，果有其人乎？……是時先生方弱冠，而有志自任如此。」

復博考經傳及百家之言，擬校註書經春秋，以成朱子之志。

吳文正集附錄「年譜」：「十九歲……曰：朱子於諸經，各有成書，獨未及於書，於春秋，欲取諸家之訓說，而成朱子之志。精力方強，凡天文地理、律曆田賦、名物算數、博考經傳，而得夫觀察之微，制作之故。」

作皇極經世續書，以推治亂相禪之因，盡滌時流術數之釋。惜燬于兵火，已不復存。

吳文正集附錄「年譜」：「作皇極經世續書，公潛心邵子之書，每病夫時者流，爲術數末，遂以先天六十四卦，分配一元之數，推治亂相禪之由，而爲是書。兵火後，散軼不存。」

十一月，劉整赴闕，奏攻宋方略，宜從事於襄樊。蓋襄樊旣克，由漢入江，宋可平也。

新元史卷六「世祖」：「四年……十一月……南京宣撫使劉整赴闕，奏攻宋方略，宜從事襄陽。」

牧庵集卷十三「湖廣行省右丞相神道碑」：「故中書左丞劉武敏公拯爲策，襄陽吾故物，使宋得竊，築爲疆藩，復此，浮漢入江，則宋可平，帝大然之。」

元世祖至元五年、宋度宗咸淳四年、西元一二六八年、歲戊辰。二十歲。

七月，遷南京宣撫使劉整，爲鎮國上將軍，偕阿朮督師，圍攻襄樊。

新元史卷一七七「劉整」：「五年七月，遷鎮國上將軍都元帥，偕都元帥阿朮，督諸軍圍襄陽。」

九月，阿朮築鹿門、新城、白阿諸堡以圍之。

湖北通志卷八「輿地志、山川、襄陽縣、鹿門山」：「在縣東南三十里，舊名蘇嶺……。至元五年，築鹿門山……，卽此。」

湖北通志卷三十六「建置志、關隘、襄陽縣、新城堡」：「在府東南十里，蒙古圍宋襄樊時築……。今縣南鄉所轄，猶有新城里，蓋卽因是而名。」

湖北通志卷三十六「建置志、關隘、襄陽縣、白河口」：「在府西北十里……，卽白河入漢之處，今縣志謂之白河觜。」

是歲，先生嘗作雜識一章、紀夢一章、題四書一章、矯輕警惰二銘。

吳文正集附錄「年譜」：「四年戊辰，作題四書一章、紀夢一章、雜識一章、矯輕警惰二銘。」

元世祖至元七年、宋度宗咸淳六年、西元一二七〇年、歲庚午。二十二歲。

八月，應撫州鄉試，以二十八名薦。

吳文正集附錄「年譜」：「六年庚午，八月，應鄉貢中選。」

道園學古錄卷四十四「故翰林學士資善大夫知制誥同修國史臨川吳公行狀」：「六年（按：咸淳）庚午，應撫州鄉舉，以第二十八名薦。」

同薦之可考者，計有謝仰韓。

吳文正集卷十五「謝仰韓詩序」：「詹山謝仰韓，昔年與余同預秋貢。」

許功甫。

吳文正集卷七十三「許母王夫人墓誌銘」：「昔年予以童丱，就郡學補試（按：壬戌十四歲），同邸有一先生長者……。後八年，予忝鄉貢，工歌鹿鳴之宴，向所見先生長者亦在焉。問之，則臨川許先生功甫也。其年爲江西轉運司所貢士，遂相款密。」

婁道輿。

吳文正集卷三十「送婁志淳太初赴石城縣主簿序」：「予昔與簿之叔父道輿甫，同年貢士，契猶兄弟，視簿猶從子也。」

按甫同父，段玉裁云：凡男子皆得稱之。

曾唯齋。

吳文正集卷二十八「贈蘭谷曾聖弼序」：「臨川西鄉，查林曾氏唯齋翁專治周官六典……。咸淳庚午再與貢，再與貢也，予忝同升。越五年……，授贛之瑞金尉，運代遷革，隱處不仕。」

曾夢魁。

吳文正集卷六十一「跋曾翠屏詩後」：「仲孫夢魁暨澄，同預咸淳庚午貢。」

張瑞輔。

吳文正集卷二十三「璜溪遺稿序」：「璜溪張瑞輔先生，先予十有五，宋咸淳庚午，同預進士貢。」

黃仲明。

吳文正集卷七十四「黃亨叔墓誌銘」：「臨川黃亨叔，工進士詩賦，少負能聲，亞於其宗兄縣君仲明。仲明與予，同忝咸淳庚午貢士。」

于應雷。

吳文正集卷八十七「故宋鄉貢進士金谿于君墓碣銘」：「金谿于君，諱應雷，字震卿，暨澄同預宋咸淳庚午秋夏。君長七歲，予兄事之。」

樂淵。

吳文正集卷五十五「跋樂氏族譜」：「撫州登科記，宋初自樂氏始，少保公十八世孫淵，咸淳末，與予同薦名于禮部。」

謝宗斗。

吳文正集卷二十四「崇仁三謝逸事編序」：「咸淳庚午，長卿之長孫宗斗，與予同貢。」

婁文輔諸人。

吳文正集卷二十四「贈饒熙序」：「澄五十年前，已與婁之子文輔同貢。」

是歲，嘗作雜識二章，并有書以答謬郡守及程教授。

吳文正集附錄「年譜」：「六年庚午……，答謬郡守書、答程教授書，作雜識二章。」

元世祖至元八年、宋度宗咸淳七年、西元一二七一年、歲辛未。二十三歲，居崇仁。

春試禮部下第。

新元史卷一七〇「吳澄」：「咸淳七年，試禮部不第。」

吳文正集附錄「年譜」：「七年辛未，春省試下第。」

三月，纂次舊作，題之曰私錄。徽庵程先生序之謂：廣大精深，無所不究。年紀如斯，志量若此，何可限焉！

吳文正集附錄「年譜」：「三月癸酉，纂次舊作，題曰私錄。程先生識其後曰：若庸來此二十二年，閱人多矣。未見年方弱冠，而有此志量，有此工夫。廣大精微，無所不究。如晝方旦，何可量也！僕雖老，不敢自棄，願聞切磋語。」

八月，至臨汝書院，留止數月。

吳文正公集附錄「年譜」：「七年辛未……八月，至臨汝書院，留止數月。」

二、隱居山林與教授鄉里時期

元世祖至元九年、宋度宗咸淳八年、西元一二七二年、歲壬申。二十四歲。

時宋亡之徵已現，故山居不出，隱敎鄉里。嘗建茅舍數間，題其牖曰：抱膝粱父吟，浩歌出師表。同門程鉅夫見之，深知其意，因題之曰草廬，後之學者遂以草廬先生稱之。

道園學古錄卷四十四「故翰林學士資善大夫知制誥同修國史臨川吳公行狀」：「時宋亡之證已見，先生以其道，教授鄉里。嘗作草屋數間，而題其牖曰：抱膝粱父吟，浩歌出師表。程文憲知其意，題之曰草廬，學者稱之曰草廬先生。」

吳文正集附錄「年譜」：「八年壬申，授徒山中。」

元世祖至元十年、宋度宗咸淳九年、西元一二七三年、歲癸酉。二十五歲。

正月，阿里海涯克樊城，呂文煥以襄陽降。

元史卷八「世祖」：「十年春正月……癸亥，阿里海涯大攻樊城，拔。宋將呂文煥，懼而請降。」

世祖欲遂有江南，召許衡問之。魯齋唯言修德，其辭甚密。

圭齋集卷九「大元敕賜故中書左丞集賢大學士贈正學垂憲佐運功臣太傅開府儀同三司追封魏國文

正公許先生神道碑」：「伐宋之擧，人售攻取之略，先生言，惟當修德。寧不預平宋之功，而必使以德行仁之言。」

元朝名臣事略卷八「左丞許文正公」：「襄陽下，上欲遂有江南，先生以爲不可，其辭甚秘。」

是歲，先生授室余氏。年十九，諱維恭，東齋先生之女也。

吳文正集卷七十二「亡妻余氏墓誌銘」：「鄉貢進士吳澄妻余氏，諱維恭，父鉦，業進士，寶祐乙卯二月庚寅生，十有九，歸爲吳氏婦。」按自乙卯，下推十九年，即癸酉也。

吳文正集卷八十九「祭外舅余東齋先生文」：按據前引與此，先生之岳，名鉦，號東齋。世居華蓋山東麓之珠溪。

吳文正集卷三十二「珠溪余氏族譜序」：「華蓋山之東麓，有修谷，曰珠溪，余氏一族居之，靡它姓間雜，且三百年矣……。逮予之外舅玉甫，始爲儒。」

道園學古錄卷三十八「余氏極高明樓記」：「華蓋之山，在崇上游……，其山之陽，有水曰珠溪，余氏之族世居之……。故翰林學士吳公之夫人，則敬之曾老姑也。」

元世祖至元十一年、宋度宗咸淳十一年、西元一二七四年、歲甲戌。二十六歲。

九月，詔伯顏史天澤，三道伐宋。

新元史卷九「世祖」：「十一年……九月甲戌，伯顏史天澤視師襄陽，分三道伐宋，伯顏自率大軍趨鄂州。」

元世祖至元十二年、宋恭帝德祐元年、西元一二七五年、歲乙亥。二十七歲。

七月，宜黃友人，遠遊不返，因用其韻，和以招之。

吳文正集卷一〇〇「宜黃友人，遠遊不反，因其投贈，用韻召之，乙亥七月」：「君平歸來鳳山巔，明月清風相款延。窮冬笙簫響松檜，盛夏霜雪飛湍泉。步屧春躋赤松嶺，拏舟秋泛黃華川。」

多，撫州內附，傳檄樂安，縣丞隆州井研人黃申酉卿，拒不署狀，亡入巴山，結廬以居，并召先生教其子，從之，蓋敬其忠義也。

新元史卷一七〇「吳澄」：「至元十二年，撫州內附，樂安丞蜀人黃酉卿，不肯降，遯之窮山中，招澄教其子，澄從之。」

道園學古錄卷四十四「故翰林學士資善大夫知制誥同修國史臨川吳公行狀」：「歲乙亥，皇元至元十二年也。撫州內附，傳檄至樂安，樂安丞蜀人黃酉卿不署狀，去之窮谷，不免寒餓，猶招先生教其子，先生從之。」

吳文正集卷七十二「樂安縣丞黃墓碣銘」：「乙亥冬，郡既降，下諸縣索降狀，樂安令率其僚，聯署以上。黃君獨不往，令遣使促之……，君佯死……，令無如之何……，全身而去……。後連歲盜起……，定廬於巴山之下，日務治圃觀書……。君隆州井研縣人，諱申，字酉卿，弱冠以春秋義貢禮部……，乙未廷試對策，特奏名授迪功郎、江州德安尉。官滿，轉修職，即撫州樂安丞。」

吳文正集卷六十二「跋黃先生遺跡後」：「宋樂安縣丞黃先生，特科出仕，清介自持，晚節避世不汚，全名以歿。宋末小官，能如此者鮮矣！予嘗客其門。」

唯年譜謂，事在癸丑二十五歲，茲從先生之說。

吳文正集附錄「年譜」：「癸丑，授徒樂安縣，以縣丞黃西卿之招。」

是歲，長子文生。

吳文正集卷七十七「有元徵事郎翰林編修劉君墓誌銘」：「泰定三年……終，享年五十二……。予之長子文，與自謙同年生。」按：自泰定三年，上推五十二年，卽至元十二年，爲先生長子文之生年。

吳文正集卷三十一「贈楊謹初序」：「丁亥之秋……，始識蜀楊君求仁翁之孫謹初，與余之子同年生，生十有三年矣！」按：自丁亥上推十三年，卽至元十二年，爲先生之子生年。據前引，此子卽長子文也。

嘗與程鉅夫等，同年者四人，問前程於相者李雁塔，其言後日頗驗。

吳文正集卷三十「送李雁塔序」：「歲乙亥，今福建閩海道肅政廉訪使程公，從其季父官于撫，與余日尚羊（按：徜徉）郡市間。公與余同年生。同歲者四人……，就雁塔李君問，君立爲剖決無疑思。其一無成而夭；其一有成而虛；其一因人而成也速；其一自立而成也晚……。是歲十二月公之季父攝于盱，歸附入覲，賞獻城功，公以從子，得宣武將，管軍千戶。」

元世祖至元十三年、宋端宗景炎元年、西元一二七六年、歲丙子。　二十八歲。

二月，贈詩術者李方叔。

吳文正集卷一〇〇「贈術者，丙子二月」：「金精山人李方叔……。」

三月，伯顏進軍皐亭山，宋恭帝奉表納降。

元朝名臣事略卷二「丞相淮安忠武王」：「進軍皐亭山，宋主遣其臣，齎國璽，奉表納降。上命董文炳入宋宮，取宋主，居之別室，封庫歸之有司，宋滅，十三年三月也。」

大清一統志卷二八三「杭州府、山川」：「皐亭山，在仁和縣東北二十里……，山高百餘丈，雲出則雨，有水甕及桃花塢。」

時盜起寧都，先生奉親避之。

吳文正集附錄「年譜」：「奉親避寇，時寧都盜起。」

十二月，和縣判何鍾「桃源行」。

元詩選乙集「草廬集」：「和桃源行」：「效何縣判鍾作，丙子十二月。冀州以北健蹄馬，一旦群嘶廬藿下……。擬學漁郎揮舟入，韓良寧忍終忘秦。」

元世祖至元十四年、宋端宗景炎二年、西元一二七七年、歲丁丑。二十九歲。

文天祥起兵廬陵，郡多應之。盜賊蠭起，因奉親避居華蓋山中，有詩一首，以懷黃縣丞酉卿。

道園學古錄卷四十四「故翰林學士資善大夫知制誥同修國史臨川吳公行狀」：「十四年，亡宋丞相文天祥，起兵廬陵，郡多應之。傍近盜起，先生奉親避地，弗寧厥居。」

元詩選乙集「草廬集」：「懷黃縣丞申，時避亂寓華蓋山。」

元世祖至元十五年、宋帝昺祥興元年、西元一二七八年、歲戊寅。三十歲。

三月，詔張宏範爲蒙古漢軍都元帥，攻崖山。

新元史卷十「世祖」：「十五年……三月……己卯，張宏範爲蒙古漢軍都元帥，從海道攻崖山。」

先生初客於盱，今之南城也。

吳文正集卷十六「黃性成詩序」：「歲戊寅，某初客盱，其後，或中歲一至，或數歲不一至。」

大明一統志卷五十三「建昌府、郡名」：「盱江，以水名。」

元史卷六十二「地理志、江西等處行中書省、建昌路」：「本南城縣，屬撫州。南唐升爲建武軍、宋升爲建昌軍。至元十四年，改建昌路總管府，割南城，置錄事司。」

元世祖至元十六年、宋帝昺祥興二年、西元一二七九年、歲己卯。三十一歲。

二月，張宏範攻厓山，陸秀夫負帝昺蹈死，宋亡。

元朝名臣事略卷六「元帥張獻武王」：「十六年……二月……，四分其軍……，下令曰：宋舟蟻厓山，潮至必東遁，勿攻之，勿令得去，聞吾樂作乃戰，違令者斬……。樂作，宋人以爲且宴，少懈，王師犯其前，南軍繼之……，宋師大潰，宋臣以其廣王赴水死，獲其符璽印章。」

讀史方輿紀要卷一〇一「新會縣、厓山」：「縣南百里大海中，延袤八十餘里，高四十二丈，與奇石山相對峙，如兩扉，潮汐所出入也，亦曰崖門山。宋末帝昺，立於硇州，張世傑以厓州爲天險，可扼以自固，乃奉帝移駐于此……。未幾，元將張宏範攻……，陸秀夫負帝沈海……，宋遂亡。」

元世祖至元十七年、西元一二八〇年、歲庚辰。三十二歲。

樂安鄭松，以民初附，所在盜賊蠭起。乃結廬布水谷，招先生共居以避之。

吳文正集附錄「年譜」：「十七年，庚辰，隱居布水谷。」

道園學古錄卷四十四「故翰林學士資善大夫知制誥同修國史臨川吳公行狀」：「鄉貢鄭松，奇士也，迎先生居布水谷。」

元史卷一七一「吳澄」：「樂安鄭松，召澄居布水谷。」

然年譜神道碑則謂：與鄭松結廬布水谷，殊誤。

吳文正集附錄「年譜」：「公與……鄭松，結廬谷中。」

吳文正集附錄「神道碑」：「乃與樂安鄭松，隱居布水谷。」

蓋先生嘗稱，是年客於鄭也。

吳文正集卷十五「秋山翁詩集序」：「歲在庚長，予客於鄭。鄭之婚兄曰秋山翁，亦客焉……。翁康氏，字敬德。」

吳文正集卷七十三「故鄉貢進士鄭君墓碣銘」：「君諱松，字特立……，配康氏。」

且神道碑史傳謂在十三年，亦誤。茲從年譜所載，繫此事於是年。

吳文正集附錄「神道碑」：「至元十三年，以政教未舒，民疑未附，乃與樂安鄭松，隱居布水谷。」

元史卷一七一「吳澄」：「至元十三年，民初附，盜賊所在蜂起，樂安鄭松，召澄居布水谷。」按松，字特立，有學行。德祐間，元軍逼境，嘗應宋守將之募，鑿鴻鶴山，復盱水故道，以灌撫州城下，而利防禦。更捐糧八十萬，俾莊戶爲兵以助之。虞邵庵譽之曰奇士，蓋因此也。

吳文正集卷七十三「故鄉貢進士鄭君墓碣銘」：「君諱松，初名復，貢於運司者再，貢於鄉郡者二，三試禮部不中。嘗以詩文，見知郡守。會郡守救荒，富戶閉糴，將加之罪，君爲救解得免，富戶恩之，結爲婚姻，以家事托……。德祐間，大軍逼境，制置使左次於撫，崇陴浚隍，募人鑿鴻鶴山，復盱水故道，灌城下，君應其募……。且捐汲官田租八十萬，俾使莊戶爲兵。既革命，猶有圖復者，檄君爲助，君以民兵應之。其卒勇敢，獨能與大軍遇，多所殺獲……。有唐山初稿、晚稿。在中歲與予爲友……，翰林學士程公，亦待以殊禮。」

江西通志卷一五二「列傳、撫州府」：「鄭松字特立，亦名復，樂安人。三預進士貢，不第。以邵子經世書，止於周顯德。乃自唐庚申宋興，至甲午金亡，續紀二百七十五年。於邵子所記，頗有更定，書法視邵子尤謹。其論國統絕續離合謂：與國無所承，亡國無所授者，各爲之系。漢魏晉宋齊梁陳爲一系；魏周唐晉漢周亦爲一系；遼金元爲一系。吳澄謂此論世儒所不及。」

谷在高山上，有田有池，四山環繞，唯一逕河，通懸崖瀑布出。

吳文正集附錄「年譜」：「布水谷……在樂安之高山上，上有田有池，群山外環，唯一逕河，通懸崖飛瀑而出，故曰布水。」

後爲眞隱觀。

道園學古錄卷四十四「故翰林學士資善大夫知制誥同修國史臨川吳公行狀」：「居布水谷，後人以是處爲眞隱觀。」

或曰古隱觀。

吳文正集附錄「年譜」：「隱布水谷……，今爲古隱觀，以公舊隱故也。」

今爲布水庵。

江西通志卷一二三「勝跡略、寺觀五」：「布水庵，在崇仁縣崇仁鄉游坊，吳草廬嘗隱于此。」

元世祖至元十八年、西元一二八一年、歲辛巳。　三十三歲。

居布水谷。

吳文正集附錄「年譜」：「十八年、辛巳，留布水谷。」

纂次諸詩註釋、孝經章句成。

道園學古錄卷四十四「故翰林學士資善大夫知制誥同修國史臨川吳公行狀」：「十八年，纂次諸詩註釋，孝經章句成。」

元世祖至元十九年、西元一二八二年、歲壬午。　三十四歲。

七月，次子袞生。

吳文正集卷七十五「故次男袞墓誌」：「吳袞字士工，次尚三，澄之第二子也。幼而明粹，長而傀（按：魁）奇，學書法，學詩文，皆能之，至元壬午七月己卯生。」

校定詩書易春秋，厘正儀禮大小戴記。

道園學古錄卷四十四「故翰林學士資善大夫知制誥同修國史臨川吳公行狀」：「十九年，校定易書詩春秋，修正儀禮小戴大戴記。」

是歲，仍居布水谷。

吳文正集附錄「年譜」：「十九年壬午，留布水谷。」

元世祖至元二十年、西元一二八三年、歲癸未。三十五歲。

冬，自布水谷，還家。

道園學古錄卷四十四「故翰林學士資善大夫知制誥同修國史臨川吳公行狀」：「二十年，自布水谷還居草廬。」

吳文正集附錄「年譜」：「二十年癸未，還自布水谷。」

元世祖至元二十一年、西元一二八四年、歲甲申。三十六歲。

五月己酉，父卒。喪禮悉循古制，參以書儀家禮行之，後鄉里輒多效之。

吳文正集附錄「年譜」：「二十一年甲申五月己酉朔，父左丞公卒。公居喪治葬，率循古制，參以書儀家禮行之。鄉黨姻戚，亦多依效。」

元世祖至元二十二年、西元一二八五年、歲乙酉。　三十七歲。

冬，葬父於咸口之魯布東邊。

吳文正集附錄「年譜」：「二十二年乙酉，居喪。冬，葬父左丞公於里之魯布東邊。」

元世祖至元二十三年、西元一二八六年、歲丙戌。　三十八歲。

八月，服除。

吳文正公集附錄「年譜」：「二十三年丙戌八月，服除。」

時江南行台侍御史程鉅夫，奉詔訪求隱逸，驛送入覲，遂遍歷諸郡以求之。

吳文正集附錄「年譜」：「二十三年……，程文憲公以江南行台侍御史，承詔訪求遺逸，有德行才藝者，卽驛送入覲。」

冬，程鉅夫至撫州，遣州縣，迎致問勞。

吳文正集附錄「年譜」：「冬程公至撫州，命郡縣問勞迎致。」

欲強起先生入仕，先生以母老固辭。因曰：雖不欲仕，然中州山水之勝，豈可無一覽乎？歸白太夫人，許之行。

道園學古錄卷四十四「故翰林學士資善大夫知制誥同修國史臨川吳公行狀」：「程文獻公……，至撫州，強起先生，以母老辭。程公曰：不欲仕，可也。燕冀中原，可無一觀乎？太夫人許其行。」

十一月，隨程鉅夫至建昌。

吳文正集附錄「年譜」：「二十三年……十一月，如建昌路，同程公行故也。」

十二月，識趙孟頫子昂於維揚驛。

吳文正集卷六十三「跋子昂楷書後」：「至元丙戌多，予始解后（按：邂逅）子昂於維揚驛。」

元世祖至元二十四年、西元一二八七年、歲丁亥。三十九歲。

春至燕，日與趙子昂遊處。

吳文正集附錄「年譜」：「二十四年丁亥，春適燕。」

吳文正集卷六十三「跋子昂楷書後」：「至元丙戌……，明年在京師，每日相聚，爲予作字，率多楷書，不令作行草。」

後以程鉅夫，復欲密薦之，亟以母老辭。

道園學古錄卷四十四「故翰林學士資善大夫知制誥同修國史臨川吳公行狀」。「與程公同如京師，既至，程公猶薦先生，不令其知，先生覺其意，力以母老辭。」

五月後，遂治裝南歸。

程雪樓集卷十一「遠齋記」：「余來京師十年，始築……一齋，爲游息之所，名曰遠……。至元二十四年夏五（按：脫月字）甲寅。諸公題詠：余旣從公觀光上國，又將從公而南……，吳澄書。」

按先生二十四年五月後，嘗題程鉅夫遠齋記後，故其南還也，當在五月以後。京中名公鉅卿，遺老徵士，如趙子昂、閻文康復等，皆賦詩以送之。

吳文正集附錄「年譜」：「公卿大夫……，皆知公之不可留，相率賦詩送別。閻文康之詩有曰：群材方用楚，一士獨辭燕。」

松雪齋集卷六「送吳幼淸南還序」：「天子遣使者，巡行江左，搜求賢才……，得臨川吳澄……。至京師，吳君皤然有歸志……。賦淵明之詩一章、朱子之詩二章而歸……。吳君行有日，謂余曰：吾將歸遊江浙，求字之余，既書所賦詩三章以贈行，又道吾友之姓名。」

道園學古錄卷四十四「故翰林學士資善大夫知制誥同修國史臨川吳公行狀」：「二十四年，朝廷老成，及宋之遺士在者，皆感激賦詩餞之。故宋宗室趙文敏公孟頫，方召爲兵部郎官，獨書朱子及劉屏山所和詩三章以遺。一時風致，識者歎之。」

秋至金陵，識蜀人楊求仁。

吳文正集卷三十一「贈楊謹初序」：「丁亥之秋，余自燕還至金陵，始識蜀楊君求仁翁。」

十月，祭慈湖丁其廟。

吳文正集卷八十九「慈湖丁其廟祝文」：「歲在丁亥十月丙寅，前鄉貢進士臨川吳澄謹昭告于丁侯大神……。澄去家期年，今歸省母，舟泝流而上，祈得順風，而無驚虞……，神其保祐之。」

十二月還家，舟中有感興詩二十五首，以寄趙子昂及京中諸公。

吳文正集附錄「年譜」：「二十四年……十二月還家。」

吳文正集卷九十一「感興詩二十五首」：「至元丁亥，自京師同舟，寄子昂及在朝諸公。」

元世祖至元二十五年、西元一二八八年、歲戊子。　四十歲。

宜黃吳東子，奉書幣迎先生教於所建之義塾。

吳文正集附錄「年譜」：「二十五年戊子，授徒宜黃縣明新堂。宜黃吳東子建義塾，扁曰明新堂，設先聖像，行舍菜禮，奉書幣聘延公，授徒其中。」

後屬境有警，乃奉太夫人避居門人鄒志道之故廬。自寓塾中者數月，秋還家。

吳文正集附錄「年譜」：「二十五年戊子……，宜黃……屬境有警，乃奉游夫人，寓門人鄒志道舊廬，自留寓塾數月，秋還家。」

朝廷因程鉅夫之建白，遣使詣家，錄所定詩書易春秋、儀禮大小戴以進。并令有司，時加優禮。

道園學古錄卷四十四「故翰林學士資善大夫知制誥同修國史臨川吳公行狀」：「二十五年，程文憲公言於朝曰：吳澄不願仕，而所定易詩書春秋，儀禮大小戴記，得聖賢之指（按：旨），可以教國子，傳之天下。有旨江西行省，遣官繕錄以進，郡縣以時敬禮。」

元世祖至元二十六年、西元一二八九年、歲己丑。　四十一歲。

所錄先生校定諸書，詔令藏諸國學。

吳文正集附錄「年譜」：「二十六年、己丑，進呈諸經，令藏國子監崇文閣。」

元世祖至元二十八年、西元一二九一年、歲辛卯。四十三歲。

六月四日，妻余氏卒，享年三十有七。

吳文正集卷七十二「亡妻余氏墓誌銘」：「三十有七年六月四日，食時猶分畫閫內事如常；有頃，自覺身弱日闇，扶至床，如是而終。」

十一月二十日，亡宋樂安縣丞黃申酉卿卒，先生嘗親臨其巴山之舍，致祭焉。

吳文正集卷七十二「宋樂安縣丞黃先生墓碣銘」：「乙亥冬，郡既降……，全身以去……。後連年盜起……，定廬於巴山之下，……七十二乃終，辛卯十一月二十日也。君隆州井研縣人，諱申，字酉卿。」

吳文正集卷八十九「祭樂安縣丞黃從事文」：「嗚呼！公……其質厚，其氣剛，其見定，其行方。始也辟地出蜀而遊，終也辟世入山而幽……。清則生而不辱，寧則死而猶奇……。嗚呼！知公惟予，知予惟公。」

按巴山，卽臨川山，又名相山，見前引。

元世祖至元三十一年、西元一二九四年、歲甲午。四十六歲。

正月，應程鉅夫之邀，如福州。十一月，返家。

吳文正集附錄「年譜」：「正月甲子，如福州。程文憲公爲福建閩海道肅政廉訪使，迎致焉。十一月戊申，還家。」

是歲，正月癸丑，世祖崩，享年八十。

元史卷十七「世祖」：「三十一年春正月……癸丑，帝崩於紫檀殿，在位三十五年，壽八十。」

四月甲午，皇孫鐵木耳卽位，是爲成宗。

新元史卷十三「成宗」：「諱鐵木耳，明孝太子眞金第三子也……。三十年六月乙巳，受皇太子寶。三十一年春正月癸丑，世祖崩。諸王大臣遣使赴於北邊，夏四月壬午，帝至上都……。甲午，卽帝位。」

三、講學龍興揚州與司業國學時期

元成宗元貞元年、西元一二九五年、歲乙未。四十七歲。

八月，如龍興，遊西山。江西湖東道廉訪司經歷郝文，迎館郡學，請以學易。

吳文正集附錄「年譜」：「八月，如龍興，遊西山。江西湖東道肅政廉訪司經歷郝文，聞公至，來見，問易疑數十條，留居郡學。有問答之辭，郝君命吏從旁書之，今學者傳錄，名曰原理。」

吳文正集附錄「神道碑」：「元貞初，至豫章，憲幕長郝文公，迎館郡庠。」

古今圖書集成卷八四七「南昌府、山川考」：「西山，在府城西，大江之外三十里，一名厭原山，又名南昌山。」

元史卷六十二「地理志、龍興路」：「唐初爲洪州，又爲豫章郡，又爲仍洪州。宋升隆興府，至元……二十一年，改龍興府爲隆興。」

唯虞邵庵所撰行狀，則謂郝仲明，名文中，似誤。

道園學古錄卷四十四「故翰林學士資善大夫知制誥同修國史臨川吳公行狀」：「元貞元年八月，游豫章西山，憲幕長郝文中仲明，迎先生入城，請學易，南北學者日衆。」

按先生之年譜、神道碑、以及史傳，均謂郝名文，字仲明，故疑邵庵有誤。

時元明善爲省掾，博學善文，常屈其座人。問學先生，至爲敬服。因請之曰：願爲弟子終其身。

道園學古錄卷四十四「故翰林學士資善大夫知制誥同修國史臨川吳公行狀」：「清河元文敏公明善，時行省掾，以文學自負，常屈其座人。見先生，問春秋大義數十條，皆領會。至語之理學，有所未契，先生使讀程氏遺書，近思錄。文敏素讀是書，至是始知反覆玩味。他日見先生曰：先生之學，程子之學也。願爲弟子，受業終其身。」

元史卷一七一「吳澄」：「行省椽元明善，以文學自負，嘗問澄易詩書春秋奧義。歎曰：與吳先生談，如探淵海，遂執弟子禮終其身。」

後應學者之請，講修己以敬一章於郡學，聽者千百，雖平日用力於斯者，亦多所感發。

道園學古錄卷四十四「故翰林學士資善大夫知制誥同修國史臨川吳公行狀」：「迎先生入城，南北學者日衆……。城中居官人及諸生，皆願聞先生一言。請先生至郡學，先生爲說修己以敬一章，指畫口授，反覆萬餘言。聽者千百人，有嘗用力於斯者，多所感發。」

十一月返家。

吳文正集附錄「年譜」：「元貞元年，乙未八月，如龍興……，十一月還家。」

是歲，爲康敬德秋山，序其詩集。

吳文正集卷十五「秋山翁詩集序」：「歲在庚長……，越十有六年，翁過予山中……，翁康氏，字敬德。」

按自庚辰，至元十七年，越十六年，卽元貞元年，乙未，故繫此事於斯。

元成宗元貞二年、西元一二九六年、歲丙申。四十八歲。

五月丁酉，葬妻余氏於黃樹谷。

吳文正集卷七十二「亡妻余氏墓誌銘」：「三十有七……終，越五年，五月丁酉，葬于黃樹谷，距家四里。」

按據前引，先生妻余氏，卒于至元二十八年，辛卯，越五年，卽元貞二年，丙申，故繫此事於斯。

是歲，嘗如龍興，行省左丞董士選，因元明善迎先生至家，見之塾館，并親爲饋食中堂。謦之曰：平生所見，德容辭氣，援經據典，未有若先生者。

吳文正集附錄「神道碑」：「董忠宣公士選，時爲行省左丞，迎至家，親至饋食曰：吳先生天下士。」

道園學古錄卷四十四「故翰林學士資善大夫知制誥同修國史臨川吳公行狀」：「元貞……二年，董忠宣公士選，時任江西行省左丞，因文敏得見先生於館塾，以爲平生所見士，未有德容辭氣，援經據典如先生者。」

然年譜謂先生，執謁明善於士選之家塾，士選因以見之。

吳文正集附錄「年譜」：「二年丙申，如龍興。時董忠宣公士選，任江西行省左丞，元文敏公，其客也。辟爲椽，以敎其子。公執謁於其館。董公聞之，親饋食中堂，頗問經義治道。顧元公曰：吳先生德容嚴厲，而不失其和，吾平生未見也。」

元成宗大德元年、西元一二九七年、歲丁酉。四十九歲。

七月，游太夫人卒。

吳文正集卷三十三「李季度詩序」：「予昔養親……，親旣逝，後三年，而季度沒，大德庚子也。」

按先生之父已卒，見前引。故所謂親旣卒者，母喪也。且自大德四年庚子，上推三年，大德元年丁酉，卽其母游太夫人之卒年也。

唯年譜謂在大德二年戊戌，殊誤。蓋自二年七月，至四年八月服除，喪葬僅兩年也。

吳文正集附錄「年譜」：「大德二年戊戌，七月，太夫人游氏卒。」

吳文正集附錄「年譜」：「大德四年庚子……八月釋服。」

冬見諶季岩詩，且以詠物工而用事切評譽之。

吳文正集卷十五「諶季岩詩序」：「丁酉多，見諶季岩詩，詠物工而用事切，謂之詩誠佳。」

是歲，董士選以江南行台御史中丞入覲，因薦先生。

道園學古錄卷四十四「故翰林學士資善大夫知制誥同修國史臨川吳公行狀」：「董忠宣公士選……，大德元年，拜行台御史中丞，入奏事，首以先生爲薦。」

吳文正公集卷十二「答董中丞書」：「未幾，澄山中持喪，而閣下自南台入覲。」

元成宗大德二年、西元一二九八年、歲戊戌。五十歲。

是歲，福建閩海道肅政廉訪使程鉅夫，歸至閩海，與先生論易，先生謂之曰：江西湖東道肅政廉訪司經歷郝文，於此功勤業精，深有所得焉。

程雪樓集卷二十四「跋郝仲明御史自敍」：「戊戌，余歸自閩，與吳幼淸論易學，則曰：江西廉訪司經歷郝君於此，用工專而精。」

餘如前引。

董士選以江南行台御史中丞入覲，改除僉樞密院事，再薦先生。平章軍國事不忽木，深然之。惜未及用，不忽木尋薨。

吳文正集附錄「年譜」：「二年戊戌，董忠宣公，以江南行台御史中丞入覲，改僉樞密院事，力薦公於朝，堂吏頗緩其事。一日議事都堂，董公起立語丞相謂勒哲，平章軍國事文貞王博果密曰：士選所薦吳澂，非一才一藝之能也。其人經明行修，論道經邦，可以輔佐治世，大受之器也。

皆曰：僉院質實，所薦必天下士，何疑焉！會平章拜御史中丞，尋薨，不及用公。」

道園學古錄卷四十四「故翰林學士資善大夫知制誥同修國史臨川吳公行狀」：「董忠宣公……，及在樞府，又薦之。」

新元史卷一九八「不忽木」：「康里氏……，元貞二年，拜昭文館大學士平章軍國重事；辭曰：本朝惟史天澤如此，臣不敢當，請去重字。大德二年，行御史中丞事。」

元成宗大德三年、西元一二九九年、歲己亥。五十一歲。

是歲，董士選三薦先生。

吳文正集附錄「年譜」：「董忠宣公言：應奉翰林文字吳澂……，大德三年，舉本官有道之士。」

元成宗大德四年、西元一三〇〇年、歲庚子。五十二歲。

六月，營正中堂，長子文，又治後堂成。程鉅夫爲之記，趙孟頫篆其額。

吳文正集附錄「年譜」：「大德四年庚子六月，作正中堂，於咸口之原。長子文，治其後堂成。程文憲公爲之記，趙文敏公篆其額。」

是歲，知友李季度卒。

吳文正集卷三十一「李季度詩序」：「李季度吾異姓兄……，予昔養親，每借助焉。予親既逝，後三年，而季度亦歿，大德庚子也。」

朝廷因董士選之累薦，詔除先生應奉翰林文字。

吳文正集卷三十一「贈周文暐序」：「大德庚子，朝廷用薦者言，授某應奉翰林文字。」按指詔令發表之期。

元成宗大德五年、西元一三〇一年、歲辛丑。五十三歲。

正月，江西行省遣郡縣詣家，畀付敕令，敦請北上。

吳文正集卷三十一「贈周文暐序」：「大德庚子……，命既下，明年春，郡太守學官持敕命詣門畀付。」

吳文正集附錄「年譜」：「五年辛丑……，都堂移江西行省，令有司敦請。」

按永樂大典析津志謂：至元四年四月，築燕京內皇城，置公署，定方隅，始於新都鳳池坊北，立中書省。以新都位置，居都堂於紫薇垣。復按通典職官志：唐時尚書省中廳之稱。唐制：尚書省都堂居中。故都堂，元中書省之代稱也。

董士選亦書勉先生應詔。

吳文正集附錄「年譜」：「五年辛丑……，董忠宣公時爲御史中丞，以私書勉公應詔。」

先生嘗奉覆士選，慨陳所以力辭之意。

吳文正集卷十二「復董中丞書」：「正月十一日臨川儒生吳澄頓首再拜，中丞相公閣下：澄……緜布衣，授七品官，成命既頒，而閣下又先以翰墨敦請敎諭，如前代起處士之禮，澄何人斯而足以當之……。邇年習俗日頽，儒者不免苟求苟得……。今之大臣宰相，當有以徵斡其機，而丕變其俗。若俾疏賤之人，驟得美仕，非所以遏其徼倖冒進之萌也。」

按先生覆士選書，既在正月，則詔令之達，合前引判斷，亦當在正月也。

元成宗大德六年、西元一三〇二年、歲壬寅。五十四歲。

春，朝命趣行，郡縣敦請，督迫甚急。

吳文正集附錄「年譜」：「六年壬寅……，春有司奉旨，朝命趣行，督迫邑里，具驛舟敦遣。」

三月，弟子羅淳老叔厚來謁，有詩以贈之。

吳文正集卷九十三「贈羅叔厚并跋」：「潛心羅貢士……子淳老，亦從予游，潛心死且十年矣！而淳老過予，能不重予之悲涕乎……，壬寅三月既望。」

八月壬戌，驛遣入京。

吳文正集附錄「年譜」：「壬寅六年八月壬戌，戒行。」

吳文正集卷一「驛舟」：「壬寅秋，官辦驛舟，遣送上京師。」

道出武昌，訪士於同門湖北廉訪使程鉅夫。因其推介，往晤番陽李英庭秀。與語移時，良佳士也。

吳文正集卷三十一「送李庭秀序」：「湖北廉訪使程公……，於人無所不容，而愼許可。大德六年秋，余過武昌，訪士於公。公曰：居於斯者，游於斯者，有番陽李君庭秀……。翌日造其所寓，語移時，益知君之爲可愛可敬也。」

九月二十五日，過新安驛。

吳文正集卷一「驛舟」：「壬寅秋，官辦驛舟，遣送上京師……，九月二十五日午時於舟中書。時已過新安驛，未至呂梁驛。」

十月丁亥，抵京師。

吳文正集附錄「年譜」：「六年壬寅……十月丁亥，至京師。」

以先生歷久始至，有司已因官曠別授矣！

元朝文類卷三十五「送吳幼清先生南歸序」：「命下之明年冬，執事者以官曠別授，而先生始至。」

時天寒地冰，遂留京師。燕之學者，因得從而問學焉。

道園學古錄卷四十四「故翰林學士資善大夫知制誥同修國史臨川吳公行狀」：「有司敦促，久之，先生爲一至京師，而伐者上矣！方冬寒沍，京師學者，奉先生而問學焉。」

門人元明善，日侍之唯謹。

吳文正集附錄「年譜」：「六年壬寅……，至京師……，元文敏公（按：明善諡文敏）朝夕奉公尤謹。」

是歲，序諶季岩詩集。

吳文正集卷十五「諶季岩詩序」：「壬寅又見之，則體格與昔異。問曰：近讀何詩？曰簡齋。余曰：得之矣！乃題而歸其篇。」

元成宗大德七年、西元一三〇三年、歲癸卯。五十五歲。

正月，自京師南還。元明善送而譽之謂：不矯抗以千名，不奔趨以射利，眞有道之士也。

元朝文類三十五「送吳幼淸先生南歸序」：「居京三月，卻迹治歸。來去容與，若無足動其心者。不矯抗以千名，不奔趨以射利。嗚呼！眞有道士也。」

按先生六年十月抵京，留居三月，卽治裝南歸。故其自京南還，當在七年正月也。

董士選亦抗章，論朝廷有失待士之禮。

道園學古錄卷四十四「故翰林學士資善大夫知制誥同修國史臨川吳公行狀」：「七年春，中丞（按：御史中丞董士選）猶抗章，論朝廷失待士之禮。」

吳文正集附錄「年譜」：「董忠宣公言：應奉翰林文字吳澂，天禀高特，道業安成，不求用於時，隱居五十餘載。至元間，遣使求賢，同至者俱爲按察，本官力以母老辭還。大德三年，擧本官有道之士，都省奏充前職，咨行省特遣之任，未至而吏部作不赴任闕。頃於本官無所加損，似失朝廷崇儒重道之意。」

五月，至揚州。江北淮東道廉訪使趙完澤，以酷暑強留之郡學。中山王玠、張達，河南張恒等，遂得從而受業焉。

吳文正集附錄「年譜」：「七年癸卯……五月己酉……，至揚州。江北淮東道肅政廉訪使趙公完澤、以暑熾強留公郡學。中山王玠、河南張恒，皆受業焉。」

古今圖書集成卷七五三「揚州府、沿革考」：「東漢改廣陵郡……，北周改爲吳州，隋初改爲楊州，大業初改江都郡……，元……改爲楊州路。」即今之江都。

然神道碑則稱：五年，中山王圻、河西張恒，從先生受業京師。

吳文正集附錄「神道碑」：「五年，又以董忠宣公爲中丞，乃授應奉翰林文字、登仕郎、同知制誥、國史院編修官。比至，已有代，執手遮留不去。中山王圻、張達、河西張恒輩，皆從受業焉。」

碑譜之載，矛盾殊甚，待考。

按事在五年之誤，當因行文之便，致年紀不詳，猶可理解。唯王玠與王圻、河南與河西、楊州與京師，矛盾殊甚。

七月，眞州諸寓公，竹珊介、賈鈞、盧摯、趙英、詹士龍及元明善等，奉疏致幣，率子弟，至揚州，迎致先生。

吳文正集附錄「年譜」：「七年……七月至眞州。淮東宣慰使沙卜珠公玠、工部侍郎賈公鈞，湖廣廉訪使盧公摯、淮東僉事趙公英、南台御史詹公士龍及元文敏公諸寓公，具疏致幣，率子弟至楊州，請公講學。」

江南通志卷一七二「人物志、流寓、楊州府」：「珊竹介，字仲淸，中統間，爲江東宣慰使，去官，家眞州。嘗延張䇓吳澄爲諸子師，講論有得，疾篤，麾妻妾環侍者出曰：男子不死於婦人之手，遂卒。」

至其餘諸人，生平別見交遊唱和考。

自是，寓於斯而講學者年餘。

吳文正集附錄「年譜」：「七年……七月至眞州……。八年……十月還家。」

江南通志卷一七二「人物志、流寓、揚州府」：「吳澄，字幼淸，崇仁人，寓居眞州，薦有道，歷宮翰林學士。」

元成宗大德八年、西元一三〇四年、歲甲辰。　五十六歲。

八月，除將仕郎、江西儒學副提舉。

道園學古錄卷四十四「故翰林學士資善大夫知制誥同修國史臨川吳公行狀」：「大德……七年……，明年八月，除將仕郎、江西等處儒學副提舉。」

十月，自眞州還家。

吳文正集附錄「年譜」：「八年甲辰……十月還家。」

元成宗大德九年、西元一三〇五年、歲乙巳。　五十七歲。

八月，程鉅夫營晉錫堂於家，先生爲之記。

程雪樓集卷首「楚國文憲公雪樓程先生年譜」：「九年……秋八月，公拜命，作晉錫堂于家，吳文正記之。」

是歲，校定邵子皇極經世書，及郭璞葬書。

吳文正書附錄「年譜」：「九年乙巳……較定邵子，公嘗謂：邵子著書，一本於易。眞可上接羲、文、周、孔之傳，非術數之比。其能前知，在人不在書，在心不在數也。公天資高明，蚤年已能領悟，故於其書，考較詳審，布置精密。較定葬書。」

元成宗大德十年、西元一三〇六年、歲丙午。五十八歲。

四月，如袁州，將遊南嶽。江西儒學提舉鄭陶孫，遣使致書，追請赴任。

吳文正集附錄「年譜」：「十年丙午四月，如袁州。公將遊南嶽，至袁州，儒學提舉鄭公陶孫，遣使致書，追請赴任。」

先生嘗有書以答之。

吳文正集卷十一「與鄭提舉書」：「閣下旣膺江廣儒司……未幾，銓衡者又以末學爲閣下副。」

新元史卷六十二「百官志、儒學提舉司」：「各行省皆置，統諸路府州縣學校祭祀教養之事，及進呈著述文字。提舉一員，副提舉乙員。」

十月之任，婉拒屬官之餽贈，制上下之告訐，學風爲之丕變。

吳文正集附錄「年譜」：「十年丙午……十月朔上官，各路學官，循常例，具禮物致慶者，卻之，惟諭之以篤意教養而已。有直學以錢穀訐其教授者，公曰，直學所竊，教授有所不知。教授所得，直學無不知者。均謂之盜，欺人之不知，而愬其可知者，可乎？直學爲教授屬，於義犯上，當先治之。時天寒，其人惶愧汗下，拜謝悟過，告訐者為之息。學官之不嚴者聞之，皆凜然知恥云。」

由是，省憲官屬，益加敬禮。

吳文正集附錄「年譜」：「省若憲，以兩提舉，俱碩學鴻儒，每加敬禮……。謁參政戎公益，公曰：東南士習凋弊，得二先生作而新之，使不習如某者，得以蒙成而逭責，豈非幸歟！公從容言曰：必欲作成人材，在於教人言忠信，行篤敬，以尊德性而已。」

元成宗大德十一年、西元一三〇七年、歲丁未。五十九歲。

正月，移疾謝歸。

道園學古錄卷四十四「故翰林學士資善大夫知制誥同修國史臨川吳公行狀」：「大德……十一年正月朔，以疾辭去。」

二月，就醫富州，寓清都觀。

吳文正集附錄「年譜」：「十一年丁未……二月，就醫富州，寓清都觀。」

大清一統志卷三〇七「南昌府表」、「豐城縣，兩晉曰富州，唐宋改曰豐城，元復曰富州，明清又曰豐城。」

江西通志卷一二一「勝蹟略、清都觀」：「在南昌縣南鄉，宋慶元二年敕建。」

五旬之內，省憲本司移文趣還者，無慮數十次，然先生固以疾辭，蓋以為提舉學校之職，本為虛設，徒縻廩祿而已。

吳文正集附錄「年譜」：「五旬之內，本司遣學職催請者六，吏人催請者四，文移往復者凡十數，又移省憲趣還，公固辭以疾。嘗曰：提舉之官，本爲虛設，徒縻廩祿，故勇於去職。」

其間有詩以贈白鶴觀劉季榮道士。

吳文正集卷九十八「贈道士劉季榮幷序」：「白鶴觀道士劉季榮，號淸眞師，生平以能碁遊四方，諸明公莫不敬禮，携其所得贈言示予，就徼予作……，寓淸都觀。」

謝朱元明贈蕨。

吳文正集卷九十二「移疾寓淸都觀次韻朱元明送蕨」：「倦思渾如蕉穀芽，病餘無力到君家；分來紫蕨長如許，欲向故山看夢麻。」

婉拒玉謙道茶墨之惠。（按玉疑爲王之誤）

吳文正集卷九十二「玉謙道惠茶惠墨不受次韻酬之」：「不受東風不惹塵，淸都瑤草一庭春。睚情牢落無魔到，閉卻扣門傳信人。」

嘗與門人，論老莊太玄之本旨，而校定之。

道園學古錄卷四十四「故翰林學士資善大夫知制誥同修國史臨川吳公行狀」：「留淸都觀，與門人論及老莊太玄等書之本旨，因正其訛僞，而著其說。」

吳文正集附錄「年譜」：「十一年丁未……，校定老子莊子太玄。公以老莊二子，世之異書，讀者不人人知其本旨，注釋者又多荒誕自誑，公爲之參考訂定，將使智之過高者，不至陷溺於其中，凡下者不至妄加擬度於高虛云。且太玄之書，其文艱深，讀之者少，然邵子於其數，實有取焉。」

六月，如臨江，病至百日，寓門人皮溍家。十月，還家。

吳文正集附錄「年譜」：「十一年丁未……六月，如臨江，病至百日，寓門人清江皮溍家。十月，還家。」

江西通志卷一四三「列傳、臨江府」：「皮溍，字昭德，清江人。以父南雄總管，補邵陽丞，考滿歸田，二十餘年，朝命三召，始起判平江路。少受業吳澄之門，其行也，澄作序送之。稱其博記覽，工詩談，爲儒群之騏驥，吏中之鸞鳳云。」

大清一統志卷三〇七「江西統部表」：「臨江府、宋曰臨江軍；元曰臨江路；明曰臨江府，治清江縣。」

十一月，友鄭松卒。

吳文正集卷七十三「故鄉貢進士鄭君墓碣銘」：「君諱松，字特立……，在中歲與予爲友……，終大德丁未十一月。」

餘請參閱至元十六年，所引有鄭松資料。

是歲二月癸酉，成宗崩。

新元史卷十四「成宗」：「十一年春正月丙寅朔，帝大漸，癸酉，崩于玉德殿。在位十有三年，年四十有二……。史臣曰：成宗席前人之業，因其成法而損益之，折薪克荷，帝無愧焉！晚年寢疾，不早決大事，傳位武宗，使易世之後，親貴相夷，禍延母后，悲夫！以天下之尊，而不能保其妃匹，豈非後世之殷鑒哉！」

五月甲申，海山武宗卽位。

元史卷二十二「武宗」：「諱海山，順宗塔剌麻八剌之長子也。八年十月，封帝懷寧王……。十年春，聞成宗崩，自按台山至和林。諸王勳戚畢會，皆……閤辭勸進。帝謝曰：吾母弟在大都，俟宗親畢至議之……。五月至上都，乙丑仁宗侍太后來會……。甲申，皇帝卽位于上都。」

元武宗至大元年、西元一三〇八年、歲戊申。六十歲。

正月十九日，題劉壽翁爲先生所繪肖像。

吳文正集卷一〇〇「題劉壽翁爲予寫眞」：「草廬六十翁始生之日題。」

秋除國子監丞，京師郡縣趣行者，絡繹不絕於途。

中齋劉先生文集卷一「送吳草廬赴國子監丞序」：「至大元年秋，臨川吳幼清先生，以國子監丞來徵，當之，京師郡縣，趣就道者，接乎先生之門。」

九月，長子文受命，築舍咸口故宅之基。

吳文正集卷末附錄「年譜」：「至大元年戊申……九月，改築宅於咸口。此故宅基，華蓋臨川二山，南北對峙，相去各十有五里，山水明秀，長子文，董其役。」

元武宗至大二年、西元一三〇九年、歲己酉。六十一歲。

正月丁未，次子袠卒，先生痛悼殊甚。

吳文正集卷七十五「故次男吳袠墓銘」：「至大己酉正月丁未卒，殯于後園。延祐乙卯六月甲申，葬于橫江滋田坑。」

雖不擬奉詔，然省憲具禮敦請，督趣赴京者不置。

吳文正集附錄「年譜」：「二年己酉正月丁未，次子袠卒……。郡縣與都堂，移江西行省，遣官禮請，給驛舟，具禮敦遣。公哀痛未欲行，趣督不置。」

遂於三月北上，道出龍興，劉申岳等餞之曰：監官雖小，然敎胄子。若他日門人出典大藩，是猶先生志得道行也。

申齋劉先生文集卷一「送吳草廬赴國子監丞序」：「至大元年……，明年三月，先生之洪，門生兒子從先生行。與送先生而返者，咸相與言曰：先生有道之士，不求聞而達者也。監丞七品……，官雖卑，以敎則尊……。使先生以道敎胄子，他日出宰大藩，與爲天下左右大臣者，皆出先生之門，是猶先生之志得道行也。此世道生民之福也。先生不宜以卑小官，以棄斯道斯民之福也。」

六月抵京涖任。

道園學古錄卷四十四「故翰林學士資善大夫知制誥同修國史臨川吳公行狀」：「至大……二年六月到官。」

至其爲教也，因材而施，誨人不倦。闡精闡微，以明乎至道之源。躬踐力行，期達乎進修之實。士風學風，無不爲之丕變。

道園學古錄卷四十四「故翰林學士資善大夫知制誥同修國史臨川吳公行狀」：「先生旦秉燭堂上，諸生以次受業。晝退堂後寓舍，則執經者，隨而請問，先生懇懇循循，其言明白痛切，因其才質而高下，聞見淺深，而開導誘掖之。使其刻意研窮，以究乎精微之蘊。反身克治，以踐乎進修之實。講論不倦，每至夜分，寒暑不廢。於是，一時游觀之彥，雖不列在弟子員者，亦在所觀感而興起矣！」

後復整頓廩膳，舊弊悉除。

吳文正集附錄「年譜」：「二年己酉……，六月到官……。時未設典簿，廩膳出內（按：納），監丞主之。公會其羨餘，以增食膳，而舊弊悉革。」

時宰執議立尚書省，謀更鈔法、鑄錢幣，聚斂以爲功。因先生德業冠絕於時，思得一言爲助。然先生臥病不出，堅拒不爲所用。

道園學古錄卷四十四「故翰林學士資善大夫知制誥同修國史臨川吳公行狀」：「至大……二年六月到官……，時朝廷循習寬厚，好功名者，奏立尚書省，改更紛然。新執政鑄錢貨，變鈔法以爲功。欲得先生助己，而恐其不可致。有司請致先生，先生臥病門生家，不可致。乃歸紿其人曰：老儒不善騎，墮馬折臂病矣！」

元武宗至大四年、西元一三一一年、歲辛亥。 六十三歲。

正月庚辰，武宗崩。

元史卷二十三「武宗」：「四年春正月癸酉朔，帝不豫……，庚辰，帝崩于玉德殿，在位五年，壽三十一。」

三月庚寅，仁宗卽位。

新元史卷十六「仁宗」：「諱愛育黎拔力八達，順宗第三子，武宗同母弟也……。武宗卽位，六月癸巳，立帝爲皇太子，受金寶……。四年正月庚辰，武宗崩……。三月……庚寅，卽皇帝位于大明殿。」

五月，送李吉夫之官有序。

吳文正集卷二十六「送李吉夫赴河南行省理問序」：「歸德李候吉夫……留京師十有八年，今得河南行省理問以歸……，予也與侯同年生……以是贈，至大辛亥五月甲午。」

是歲，先生擢文林郎國子司業。癸丑，就任。

吳文正集附錄「年譜」：「四年辛亥，授文林郎國子司業，癸酉，上官。」

新元史卷一七一「齊履謙」：「四年，仁宗卽位，台臣言，齊履謙有學行，可敎國學子弟，擢國子監丞，改授奉直大夫、國子司業，與吳澄並命，時號得人。」

時劉賡拜集賢大學士國子祭酒，語諸生曰：司業國之大儒，師不易得，時不可失，諸生其勉旃。

道園學古錄卷四十四「故翰林學士資善大夫知制誥同修國史臨川吳公行狀」：「武皇賓天，仁宗卽位……，先生陞司業。侍御史劉公賡，拜集賢大學士國子祭酒，召諸生語之曰：朝廷徒以吾舊人，自台臣遷，以重國學。司業大儒，吾猶有所質問，師不易得，時不可失，諸生勉之。」

後先生欲改革敎法。

道園學古錄卷四十四「故翰林學士資善大夫知制誥同修國史臨川吳公行狀」：「先是世祖皇帝，初命許文正公，自中書爲祭酒。文正始以所得朱子小學，躬尊信之，以訓授子弟，繼之者，多其門人，猶能守其法。久之，寖失其舊，先生既至，深閔乎學者之日就荒唐，而從事於利誘也，思有以作新之。」

遂採程淳公頤之學校奏疏、胡文公瑗之六學敎法，及朱文公熹之學校貢擧私議，約爲四條敎法，曰經學、曰行實、曰文藝、曰治事。惜因同列異議，未克實施。由是，先生漸有去意。

元史紀事本末卷八「科擧學校之制」：「以吳澄爲司業，澄用宋程頤學校奏疏、胡瑗六學敎法、朱熹學校貢擧私議，約之爲敎法四條：一曰經學、二曰行實、三曰文藝、四曰治事，未及行。」

吳文正集附錄「年譜」：「四年辛亥，授文林郎、國子司業……。公爲取程淳公學校奏疏、胡文正六學敎法，及朱文正貢擧私議三者，酙酌去取：一曰經學、易、詩、書、儀記、周禮、禮記、大戴記附、春秋三傳附、右諸經，各專一經，並須熟讀經文，傍通諸家講說義理度數明白分曉。凡治經者，要兼通小學書及四書。二曰行實，孝於父母、弟，在家弟於兄，在外弟於長。和睦於宗族，婣和於外姓之親。任厚於友朋，恤仁於鄉里，以及衆人。三曰文藝，古詩文。四曰治事，選舉食貨、禮儀、算法、吏文、星曆、水利、各於所習，讀通典刑統算經諸書，是爲擬定敎法。同列欲行大學積分法，公曰：敎之以爭，非良法也。論議不合，遂有去意。」

元仁宗皇慶元年、西元一三一二年、歲壬子。六十四歲。

正月十八日，買舟通州，以疾謝歸。

吳文正集附錄「年譜」：「皇慶元年壬子正月，移疾去職。」

道園學古錄卷四十四「故翰林學士資善大夫知制誥同修國史臨川吳公行狀」：「皇慶元年正月，先生使買舟通州。」

吳文正集卷九十三「壬子自壽」：「昨日辭京國，通州岸下船，年年此初度，度度似今年。快活神仙地，歡愉父子天，小成重八數，圓滿大三千。」按先生正月十九日生，旣詩謂昨日辭京闕，故十八日離京去職也。

旣行，始移文告去，監官爲之愕然，諸生悵失所依。

道園學古錄卷四十四「故翰林學士資善大夫知制誥同修國史臨川吳公行狀」：「皇慶元年正月，先生買舟通州，旣行，而後移文告其去。監學官愕然，貴游之士，悵悵失其所依，有流涕者。長數十人，追至河上懇留，不從。」

國子助敎虞集，嘗遣諸生數十人，持函請于河上，以必還爲期。

道園學古錄卷十二「請吳先生書」：「先生生朝避客，連日奉侯還監，今朝令嗣來，始蒙垂示留別之意……。蓋進難退易，固士君子之大節……。今朝廷……德意至渥，欽體近旨，則學監所係甚重……翩然去之，於雅意則得矣，朝廷其謂學監何……，謹遣諸生等，請乎河上，必以還爲期。」

朝廷亦遣使追留，然尼不行。

道園學古錄卷四十四「故翰林學士資善大夫知制誥同修國史臨川吳公行狀」：「皇慶元年正月，先生……既行……。朝廷亦遣人追留，或尼不行。」

諸生仰慕先生德業，有不謁告，從之而南者。

元史卷一七一「吳澄」：「澄一夕謝去，諸生有不謁告，而從之南者。」

按先生嘗語學者曰：問學不本乎德性，則必偏於言語訓詁之末，故學者必以德性爲本，庶幾得之矣！

道園學古錄卷四十四「故翰林學士資善大夫知制誥同修國史臨川吳公行狀」：「先生嘗爲學者言：朱子道問學工夫多，陸子靜卻以尊德性爲主。問學不本於德性，則其弊偏於言語訓詁之末……。今學者，當以尊德性爲本，庶幾得之。」

議者遂以先生爲陸氏之學，非許魯齊尊信朱子之本意。於是，乃一夕謝去。

新元史卷一七〇「吳澄」：「議者遂以澄爲陸氏之學，非衡尊信朱子本意云。澄一夕謝病南歸。」

十九日，有自壽詩一首，以寄所感。

見同前引。

三月，至眞州，學者強留講學。
吳文正集附錄「年譜」：「皇慶元年壬子……三月，至眞州，舊學者強留講學。」
四月，如金陵，寓門人王寅叔家。
吳文正集卷七十六「故金陵逸士寅叔王君墓碣銘」：「皇慶元年春，予在國子監，以疾尋醫，其夏過金陵，郡士王寅叔，授予館，執弟子禮而請學焉……。寅叔諱子淸，其先汴人……。父諱君祥，早世……。寅叔唯讀書爲學而已……，數年後，家浸以蠱，始奉母命整飭……，增益其田數十頃……，人服其能，聲譽日起，賢士大夫常造其門……。而喜賙恤……，隆冬積雪，則散楮衾木炭，委於甚貧者之門而去，不出主名。」
吳文正集卷三十四「送廉充赴浙西照磨序」：「皇慶元年春正月，國子司業吳澄，以疾去官，就醫於江南。三月，勅國子學生廉充，授江南浙西道肅政廉訪司照磨……，給驛騎，趣就道。夏四月充至江南，過家省親，余留金陵，適相値。」
唯年譜謂在七月，誤，茲從先生之說。
吳文正集附錄「年譜」：「皇慶元年壬子……七月，至建康。」
據前引送廉充赴浙西照磨序，先生旣謂四月留金陵，故年譜謂七月始至金陵，誤。
時國子生廉充，之官浙西，有序以送之。
見同前引。

並跋危氏復姓祝文。

吳文正集卷五十八「題危氏復姓祝文後」：「皇慶元年，國子司業吳澄，以疾去官，就醫於江南，道過眞州……，具道復姓始末……，是年四月望日。」

序劉維思講義。

吳文正集卷二十「中庸簡明傳序」：「廬陵劉君惟思良貴甫，以朱子章句講授……，乃纂其平日教人者，筆之紙，辭簡易明……，良貴吾父行也。皇慶元年夏，其子秘書監典簿復初，官滿南歸，相遇於東淮，出其父書以示，爲識其右。」

秋，泝江還鄉。

吳文正集卷七十六「故金陵逸士寅叔王君墓碣銘」：「皇慶元年……夏，過金陵……，其秋，予泝江而南。」

十月二十四日，門人夏友蘭卒。所建義塾，賜額鰲溪書院，今廢。

江西通志卷一五二「列傳、撫州府」：「夏友蘭字幼安，初名九鼎，撫樂安曾田人，後徙蘭原，世以材武長軍籍……。謙厚文雅，聲譽四達……。邑尉明安達爾，志同道合，俱造吾門受學……。邑東門外，創建書院，施田贍給……。予在國子監……，明年，龍飛御極……，奏授將仕郎同知會昌州事。皇慶元年春南歸，秋至官一月，聞恩旨下，獲持所創書院，亟歸迎拜，至家感疾，再閱月而終，十月廿四日也。」

大清一統志卷三二二「撫州府、學校」：「鰲溪書院，在樂安縣治南，元邑人夏友蘭，少從吳澄游，讀書於此，因建。皇慶元年，賜額設官……今俱廢。」

吳文正集附錄「年譜」：「皇慶元年壬子……冬，還家。」冬，抵家。

四、教授江南各地與主講經筵時期

元仁宗皇慶二年、西元一三一一年、歲癸丑。六十五歲。

正月十九日生辰，有次韻黃山長七言一首。

吳文正集卷九十六「癸丑生次韻黃山長」：「擬進華筵酒一鐘，將止復止漫匆匆。先天愧我十年長，初度偶然正月同。改爲蓼莪懸講稿，又傳梅使寄東風。有懷不寐夜參半，熗耀文星麗碧穹。」

十月，序送門人虞槃北上。

吳文正集卷二十七「送虞叔當北上序」：「有二子，曰集曰槃，一家能文者三。二子表乎疇衆之上，幾若眉之有三蘇……。伯子集、國子助教，遷國子博士……，歐陽公（按：元）實獎掖之。今在朝豈無歐陽公其人歟！槃此行也，必受知焉……。皇慶二年十月甲子。」

江西通志卷一五二「列傳、撫州府」：「虞槃字仲常，集之弟，延祐進士，授吉安永豐丞，除湘鄉州判官。有巫至其州，稱神，告其人曰：某方火卽火……。槃……盡得巫黨所爲……，斬巫並其黨如法，吏民始服。秋滿，除嘉魚縣尹，槃已卒。」
東山存稿卷三「邵庵先生虞公行狀」：「黃夫人嘗曰：吳伯淸今世之大儒，可以爲師表，故公與嘉魚令，從吳公遊。」

十七日，金陵門人王寅叔卒。

吳文正集卷七十六「故金陵逸士寅叔王君墓碣銘」：「皇慶元年，予在國子監……。其夏，過金陵，郡士王寅叔……，執弟子禮而請學焉……。生宋咸淳己巳歲六月十有七日，其卒皇慶癸丑十月十七日。」

是歲，門人貢師泰，侍父於江西儒學提舉，始見先生，且堂試第一。

玩需齋附錄「年譜」：「皇慶二年癸丑，侍父提學江西。會草廬先生，堂試第一。」
宋元學案卷九十二「草廬學案、草廬門人」：「貢師泰，字泰甫，文靖公奎之子，肄業國子學爲諸生。泰定四年，釋褐，擢應奉翰林文字，除紹興路總管府推官，治行爲諸郡第一。復入翰林，累除吏部侍郎、禮部尚書、江浙行省參知政事、改除戶部尚書，分部閩中，召爲秘書卿，行至浙之海寧，得疾而卒。先生……既以文字知名，而於政事尤長，所至績效輒暴著。」

元仁宗延祐元年、西元一三一四年、歲甲寅。　六十六歲。

八月，江西鄉試，入闈校文。

吳文正集附錄「年譜」：「延祐元年甲寅……八月，江西貢院考鄉試，屢以疾辭，不獲。」

吳文正集卷四十三「具慶堂記」：「延祐元年秋，江西行省試士，余校文貢闈。」中式者，計歐陽元、楊景行等四十九人。

江西通志卷二十四「選舉表、延祐元年甲寅鄉試」：「羅曾、徐汝士、陳宗強、熊誠、馮勉之、萬晉、鄔煒、高才、方輔、吳舜凱、陳存泰、朱方煥、黃菊莊、曹達中、黃瑞、李周、張平、李益、胡式、左方、程義、鄒讓、柱吉、李晉、方希、鄭合生、鄒友誠、鄒思俊、王與玉、楊景行、蕭立夫、蘇宏道、鄒友、楊東叟、胡一龍、張榮、夏鎮、歐陽元、曾光賢、唐旂、丁文、彭程、丁剛、李淦、黎獻、吳珪、吳衡、羅曾（廬陵人）、倪文斌。」

中齋劉先生文集卷四「與吳草廬書」：「鄉里楊景行賢可，明公甲寅門生也……。與李遵道，約及門者屢矣！」

是歲，營久大堂，悉倣古制。長子文董其役，趙子昂篆其額。

吳文正集附錄「年譜」：「延祐元年甲寅，作久大堂。命長子文董其役，悉倣古制，趙文敏公篆額。」

時國子祭酒劉賡，復除承旨，近臣乃薦先生以繼之。議者以先生為陸氏者流，非朱子之學，殊違許文正之遺規，不得為國子師而未果。

新元史卷一八五「劉賡」：「皇慶元年，遷集賢大學士，仍兼國子祭酒。延祐元年，復為承旨。」

道園學古錄卷五「送李擴序」：「先生雖歸，祭酒劉公……，監丞齊君，嚴約以身先之……。未幾，二公有他除，近臣以先生薦於上。而議者曰：吳幼淸，陸氏之學也。非朱子之學，不合許氏之學，不得爲國子師。是率天下而陸子靜矣，遂罷。嗚呼！陸子靜豈易言哉！彼又安知朱陸異同之所以然，直妄言以欺世拒人耳。」

吳文正集附錄「年譜」：「二年癸丑，集賢院知公之敎人不倦，同至都堂，請以國子祭酒，召公還朝。」

中書平章政事李孟亦言，吳司業養痾還鄕，今復召之，是苦之也。

吳文正集附錄「年譜」：「二年癸丑……，平章李公孟爲倡言曰：吳司業高年養病而歸，今卽召還，是苦之也，遂不復召。」

元仁宗延祐二年、西元一三一五年、歲乙卯。　六十七歲。

正月，江西經理民田，郡縣乘機肆虐，民不堪命。

吳文正集附錄「年譜」：「二年乙卯正月……，時經理田糧，限期嚴迫，使者立法苛刻，務重增民賦，以覬爵賞。郡縣奉行尤虐，民不堪命，群情洶洶。」

寧都民蔡五十九，遂脅衆以叛。

中齋劉先生文集卷八「高師魯墓誌銘」：「延祐乙卯春，江西經理民田，贛寧都民蔡五十九，脅從其州三鄕以叛。事聞，命三省兵討之。」

地方父老，以先生與部使杜顯祖有舊，拜請如龍興，剖陳利害。將至，使者已赴袁瑞，未入城而還。

吳文正集附錄「年譜」：「二年乙卯正月，如龍興……。邑父老知公，與部使杜顯祖，在朝有交承之誼，請往陳其害。公既行，使者已趨袁、瑞，不及入城而還。」

多，鄱陽陳仲江，來訪山中，論道者累日。

吳文正集卷三十一「送番陽東仲江序」：「番陽陳仲江，質美而學劬，行完而文懿。執事爲翰林國史之屬，有年矣。予在國子監時，數數同遊處。予既南還，踰年，而仲江亦去職。延祐二年冬，顧予於山中，論學者累日。」

元仁宗延祐三年、西元一三一六年、歲丙辰。六十八歲。

是歲，入宜黃山中，寓仙符坪之五峰庵者，逾半載。蓋取其簡靜，以修易纂言也。

道園學古錄卷四十四「故翰林學士資善大夫知制誥同修國史臨川吳公行狀」：「延祐三年，先生深入宜黃山中，五峰僧舍以居六越月，修易纂言。」

吳文正集卷四十九「五峰庵記」：「百年之前，袁州慈化寺僧，號普庵師……，歲在乙亥，歷撫州宜黃……。是年六月，行宜黃南鄙之仙符坪，左黃山，右華蓋，五峰森聳乎其前。照鏡石，仙人塔，隱映其後。水口無路可通，沿流而下，有九龍淵……，遂結草爲庵，名曰五峰。」

十一月甲子，有詩以贈武當山月梅道士。

吳文正集卷九十二「延祐三年丙辰十有一月甲子贈武當山月梅道士二首」：「顯德年間舊丙辰，武當舊隱有高人。高人一去夢未覺，丁巳重來第七春。」

元仁宗延祐四年、西元一三一七年、歲丁巳。六十九歲。

春過金谿，教諭南安梁君，以贈言爲請。

吳文正集卷二十八「贈梁教諭序」：「南安梁君，爲金谿教諭三年矣。延祐丁巳春，予過自金谿，徵予贈言。」

七月，江西請考鄉試，省遣屬吏王君質，傳檄諸門。先生因足疾，堅臥不出。然使者率郡縣，留山中不去，不獲已乃行。

吳文正集附錄「年譜」：「四年丁巳七月，江西省考鄉試。時患足瘡，堅臥不出。使者率郡縣留山中不去，不獲已而行。」

吳文正集卷五十八「題跋丁巳諸貢士詩」：「省府命其屬吏王君質，持檄詣門，禮請赴省。」所出經問，同校文者七人，或怪其平易。先生曰：於此有所得，則其言不差矣！

道園學古錄卷四十四「故翰林學士資善大夫知制誥同修國史臨川吳公行狀」：「延祐……四年，江西行省請考鄉試，先生出經問曰：孟子道性善，堯舜至於塗人一耳。而論語曰：性相近何也？同官或怪乎平易，先生曰：於此有眞知，其言不差。」

吳文正集卷九十七「江西秋闈分韻有序」：「延祐四年，江西行中書省，欽奉天詔，第二舉進士，典校文者七人。」

與選者二十餘人，然史載不一。蓋邵庵所撰行狀，謂二十二人。

道園學古錄卷四十四「故翰林學士資善大夫知制誥同修國史臨川吳公行狀」：「延祐……四年，
江西行省……貢士二十二人。」
先生跋諸貢士詩，謂二十一人。
吳文正集卷五十八「題跋延祐丁巳諸貢士詩」：「江西試士，與選二十有一人。」
江西通志選舉表，謂二十七人。
江西通志卷二十四「選舉表、元延祐四年丁巳鄉試」：「祝彬、偰玉立、汪廷鳳、祝蕃、虞槃、虞繼、鄒友聞、彭士奇、哈喇八亡、李燦、李仲、高學、張立道、尹夢錫、馮蔣翁、羅振文、廖大成、蕭渢、黃常、朱夏、蕭應元、高鉞、陳鳳陽、鐘萬鍾、黃端節、陳植、晏南傑。」
八月，集賢請以先生，代李源道爲直學士。命修撰虞集，馳驛聘召。
吳文正集附錄「年譜」：「四年丁巳……，先是臣僚數言公姓名於上前；八月，上特問公何在？太保楚蘇對，臣聞居江西。集賢知上意所在，請以代李源道直學士。中書奏可，命修撰虞集，給驛聘召。」
重九，鄉試考官宴集，嘗有詩幷序以誌其盛。
吳文正集卷九十七「江西秋闈分韻」：「延祐四年，江西中書省，欽奉天詔第二次舉進士……，九月九日，開樽暢飲……，各賦古詩一首，爰記良辰會聚之樂，且抒異日離索之思焉。」
十一月，樂平陳熙來訪山中，生以將有四方之遊，因勸之休遊，歸讀父祖之書，遂作收說遊說序以貽之。

吳文正集卷四「收說遊說有序」：「延祐丁巳十有一月，饒樂平陳熙來山中，言其……先大父敎授于家，臨終，囑諸子謹收吾書，熙父遵考訓，扁讀書之堂曰收……，用作收說……。而熙……將于四方，予勸之息游，而歸讀祖父所收之書，作遊說。」

是歲，門人李思溫卒，年止二十有四，先生深悼之。

吳文正集卷五十九「題李思溫舉業稿後」：「前浙東宣慰司都事李謙父之子思溫，往年從予受尙書……，頴然特出秀於群弟子之中……，卒延祐丁巳，年止二十有四。」

嘗函賀同門程鉅夫生辰。

吳文正集卷十四「賀程雪樓生日啓」：「光祿歸田，縉紳嘉歎。大夫知足，鄉里誇傳。式逢麟紱之期，盛擧兕觥之慶。過今年，年七十。恥吟學之未宜，休滿人世世三千……。」

吳文正集附錄「年譜」：「余之子仔復，族子櫝之，皆與子同年……。櫝之，翰林承旨程文獻公鉅夫舊名也。」

元仁宗延祐五年、西元一三一八年、歲戊午。七十歲。

春，自永豐縣之武城書院還家。

吳文正集附錄「年譜」：「五年戊午，還自永豐縣武城書院。」

大清一統志卷三二七「吉安府、學校」：「永豐縣有武城書院，元曾德裕建……，今俱廢。」

道出臨川，遊李氏西園。

吳文正集卷四十五「西園記」：「臨川山水清遠……，田疇之力完厚……，其風俗尙文雅……，居是郡者，宜必有名勝之士，治亭榭、樹花竹……，予數過此，未聞有園池之可名者……。延祐戊午，余復過焉，客始以南溪……西園爲言者。」

按此二事，紀月不詳，唯證諸先生是年五月泝江入京，次年十月始自金陵還至江州，故道出臨川返家之時間，當在春季也。

未幾，虞集奉詔，以奉議大夫集賢直學士，詣門聘召。既拜命，疾作，久之無行意。邵庵因言曰：此除出自上意，宜勉爲之。五月，驛赴北上。

吳文正集附錄「年譜」：「五年戊午……，授集賢學士奉議大夫，既拜命，疾作，久之無行意。虞集曰：此除實出上意，宜勉爲之。五月，戒行。」

道園學古錄卷四十四「故翰林學士資善大夫知制誥同修國史臨川吳公行狀」：「延祐……五年春，除集賢直學士，陞奉議大夫，遣集賢修撰虞集，奉詔召先生於家。」

按前引年譜所謂之四年八月，爲詔令始下之期。而行狀所謂之五年春，則爲虞集奉詔抵達崇仁，詣門聘召之期，故二者幷無矛盾之處。

七月，序送傅民善之任。

吳文正集卷二十八「送傅民善赴衡州儒學正序」：「學正，敎授之貳，其職甚不輕也。傅民善妙年俊才，淸文粹行……，選在此職……，延祐五年七月朔。」

至彭澤驛，遇曹成之，遊孤山，皆有詩以紀之。

吳文正集卷九十二「彭澤遇成之之京師」：「予有集賢之命，與修撰虞伯生，俱乘驛而北，於彭澤解后曹成之訓導，將觀光上國，爲賦此」：「人海茫茫名利場，盛年快意一觀光。顧予白髮歸來晚，羞過淵明五柳莊。」

吳文正集卷九十六「登孤山」：「延祐五年秋，與伯生修撰，憩彭澤水驛，值江州推官畢侯未審，因棹舟孤山，有彭簿劉尉同遊，用賦五十六字」：「三十年前東下時，開蓬曾賦小孤詩……。長願江流平似鏡，坐看舟客去如馳。悠悠此日登臨忽，付與潯陽循吏知。」

八月，抵儀眞。以疾復作，遂留淮南。

吳文正集附錄「年譜」：「五年戊午……八月，次儀眞。疾復作，使者亟欲復命，公因辭謝，遂留淮南。」

十一月，至建康。寓門人王進德所創義塾者數月，書纂言成。

吳文正集附錄「年譜」：「五年戊午……十一月，留建康，書纂言成。」

道園學古錄卷四十四「故翰林學士資善大夫知制誥同修國史臨川吳公行狀」：「延祐……五年……，行至儀眞，病作，不復行。渡江，寓金陵門人王進德家新書塾，所至學者雲集，居數月，修書纂言。」

江西通志卷一五一「人物志、孝義、江寧府」：「王進德，字仁甫，金陵人。富而好施，出七萬餘緡，構郡學講堂，置一切禮器。又買宅一區，割九百畝，創建江東書院，朝賜以額，設官掌其敎。置義莊以贍族，修城隍以捍井里。」

是歲，爲李敍撰其母姚氏墓誌銘。

宋文獻公全集卷四十六「題李敍山長姚元靖夫人墓銘後」：「及觀吳文正公所述，仲羽母夫人姚氏墓銘，備言夫人，通經典，敎二子極嚴，向學稍怠，爲之不食不語。而讀書，必持敝人在傍綴之，夜分不已……。皆文正公手筆，而并自署其堂……。文正公自爲國子祭酒（按：司業之誤）之後，卽歸隱宜黃山中。延祐戊午春，始詔以今官起之，行之儀眞，病作，渡江憩金陵，修書纂言。蓋作此銘之歲，而年七十矣。」

元仁宗延祐六年、西元一三一九年、歲己未。　七十一歲。

春，遇成大用於建康，務請學易。先生曰：易在我而不在書，有序以贈之。

吳文正集卷三十「贈成大用序」：「延祐六年春，自和州來，與予遇於金，務使學易。予告之，易在我不在書也。」

七月，撰建昌路三皇廟記。

吳文正集卷三十八「建昌路三皇廟記」：「是年，歲在己未，七月十有一日甲子記。」

九月，撰蛾眉亭重修記。

吳文正集卷四十五「蛾眉亭重修記」：「姑熟之水，西入大江，其汭有山突起，曰采石……，下有璣，曰牛渚……，其上有亭，曰蛾眉……，延祐五年秋，予舟過之……。明年夏，留金陵，姑熟郡侯，命其客持書抵予……，敢徵一言……，是歲九月丙辰記。」

十月，自建康溯江而上，至江州，寓濂溪書院者數月。

道園學古錄卷四十四「故翰林學士資善大夫知制誥同修國史臨川吳公行狀」：「延祐……六年十月，泝江州，寓濂溪書院。」

雲林集卷下「過周元玄濂溪故宅，延祐中，先師留此數月」：「聖遠巳千載，繼述良艱獨……。墜緒久無記，令我心博博。」按元有二雲林集，一出貢奎，此則先生門人危素之作也。

大清一統志卷三〇七「江西統部表」：「九江府，唐五代宋皆曰江州潯陽郡，元曰江州路，明曰九江府。」

書院在九江德化縣南十里，廬山之麓，周元公之故宅也。

大清一統志卷三一八「九江府、學校」：「濂溪書院，在德化縣南十里，廬山麓，宋周濂溪周子居此。」

南北門人，從之者百餘人。

吳文正集附錄「年譜」：「六年己未……十月，留江州，寓濂溪書院，南北從者百餘人。」

十一月，率諸生祭周敦頤濂溪之墓。

道園學古錄卷四十四「故翰林學士資善大夫知制誥同修國史臨川吳公行狀」：「延祐……六年……十一月，率諸生祭周元公之墓。」

吳文正集卷八十九「祭周元公濂溪先生墓文」：「嗚呼！悟道有初，適道有途。先生之圖，先生之書，昭示厥初，維精維粗……。」

按周敦頤，字茂叔，宋道州人。初爲分寧主簿，後知南康軍。世居營縣濂溪上，世稱濂溪先生。著太極圖說及通書，爲宋代理學之開山祖，二程皆其弟子，卒謚元公。見宋史卷四二七。

是歲，復撰江州城隍廟後殿記。

吳文正集卷三十八「江州城隍廟後殿記」：「皇元壬子創始，延祐己未落成，值予過江州……，請記。」

元仁宗延祐七年、西元一三二〇年、歲庚申。七十二歲。

正月辛丑，仁宗崩。

新元史卷十七「仁宗」：「七年春正月……丁亥，帝不豫，辛丑，帝崩于光天殿，年三十有五，在位九年。」

三月庚寅，英宗繼立。

元史卷二十七「英宗」：「諱碩德八剌，仁宗嫡子也……。延祐三年十二月丁亥，立爲皇太子……。七年……三月……庚寅，帝卽位。」

湖廣行省參政元明善，召除集賢殿侍讀學士，入京赴任，道出江州，因謁先生，并出近作三帙，嘗譬之曰：較昔日所得有加。

吳文正集卷十九「元復初文集序」：「清河元公復初……，余與交也久，今由湖廣參政，赴集賢學士之召，與遇於江州，出示近稿三帙，所得有加于前。」

新元史卷二〇六「元明善」：「拜湖廣行省參知政事，英宗卽位，詔爲集賢侍讀學士。」

七月，湖南行省，請考鄉試，遂以疾自江州還家，北方學者皆從之。

吳文正集附錄「年譜」：「七年庚申，留江州，七月湖廣省請考鄉試，以疾還家，北方學者皆從。」

元英宗至治二年、西元一三二二年、歲壬戌。七十四歲。

應門人王進德之請，如建康，爲定所創義塾學規。

吳文正集附錄「年譜」：「二年壬戌，如建康，定王氏義塾規制。」

餘見延祐五年所引。

後泰定元年，敕賜曰江東書院。地臨秦淮，林竹修茂，今廢。

古今圖書集成卷六五五七「江寧府、學校考」：「江東書院，在永安防鹽金街，元郡人王進德建。地臨秦淮，竹木修茂；吳草廬澄，嘗於其中講授，群士受業者甚衆。泰定元年，定額曰江東書院，今廢。」

為楊友直釋謙光之義，因成謙光堂記。

吳文正集卷四十三「謙光堂記」：「河南楊友直，善書工詩，其文蔚如也……。往年仕於憲台，留京師，翰林承旨趙子昂，為之篆謙光二字，以名其寓屋之室……。至治壬戌，予客金陵，而友直為行台掾。予視子昂所篆，因言……。友直謝曰：今日獲聞易之奧義……，於是筆予之言，以為謙光堂記。」

十月還家，易纂言成。

吳文正集附錄「年譜」：「二年壬戌……十月還家，易纂言成。」

門人元明善卒。

元朝文類卷六十七「翰林學士元公神道碑」：「有元古文之宗，曰翰林學士清河元公，以至治二年壬戌二月七日，薨于位……。公諱明善，字復初……，享年五十有四。其文有賦五、詩凡一百六十三，銘贊傳記五十九，雜著十五，碑誌一百三十。出入秦漢之間，本之於六經……，倡古學於當世，為一代之文宗者，柳城姚燧，暨公而已。」

元英宗至治三年、西元一三二三年、歲癸亥。　七十五歲。

正月，拜住為丞相，勵精圖治，登用耆德，超拜先生太中大夫翰林學士，知制誥同修國史，遣舍人劉孛蘭奚，詣門聘召。

元史卷二十八「英宗」：「三年春正月，拜住言：前集賢侍講學士趙居信、直學士吳澄，皆有德老儒，請徵用之。帝喜曰：卿言適副朕心，更當搜訪山林隱逸之士。遂以居信爲翰林學士承旨，澄爲學士。」

道園學古錄卷四十四「故翰林學士資善大夫知制誥同修國史臨川吳公行狀」：「至治……三年，英宗卽位，東平王拜住爲丞相，勵精爲治，黜陟臧否，朝廷赫然，超拜先生爲翰林學士知制誥同修國史，階太中大夫，遣値省舍人劉孛蘭奚，奉詔召先生於家。使者致君相之意甚篤，先生拜命卽行。」

二月庚寅北上，三月甲辰至龍興，省憲官屬，祖餞以別。五月入京，六月己巳之任。

吳文正集附錄「年譜」：「三年癸亥……二月庚寅戒行，三月甲辰，次龍興，己酉，省憲官祖餞，五月至京師，六月己巳上官。」

時學士散散，方奉詔集善書者，粉黃金以寫佛經。七月，有旨使左丞速速，詔先生爲之序。先生曰：浮屠薦拔之說，非臣所知。且國初以來，繕經追薦之事，不知凡幾。若無效，是無佛法矣。若已效，則誣其祖也。不可以撰爲文字，以示後世，而婉拒之。

吳文正集附錄「年譜」：「三年癸亥……七月，敕撰金書佛經序。」

道園學古錄卷四十四「故翰林學士資善大夫知制誥同修國史臨川吳公行狀」：「至治……三年……，時詔學士散散，集善書者，粉黃金寫浮屠藏經。有旨自上京來，使左丞速速，詔先生爲之序。先生曰：主上寫經之意，爲國爲民，甚重事也。但追薦冥福，臣所未知。蓋釋氏因果利害之說，人所喜聞。至言輪迴，彼之高者且不談。其意止爲爲善人之死，則上通高明，其極品則與日月齊光。爲惡之人死，則下淪汚穢，其極下則沙蟲同類。其徒遂爲超生薦拔之說，以蠱惑世人。今列聖之神，上同日月，何待子孫薦拔。且國初以來，凡寫經追薦之事，不知凡幾。若超拔未效，是無佛法矣。若超拔已效，是誣其祖矣。撰爲文辭，不可以示後世。左丞曰：上命也。先生請俟駕還，復奏之。會上崩，不及奏而止。」

八月癸亥，鐵失等，弒英宗於南坡。

新元史卷十八「英宗」：「三年……八月癸亥，車駕南還，是夕駐蹕南坡，御史大夫鐵失……等，同謀弒逆……，先殺中書左丞相拜住，遂弒帝於行殿，在位三年，年三十有一。」

癸巳，泰定帝即位於龍居河。

元史卷十九「泰定帝」：「諱也孫鐵木兒，顯宗甘麻剌之長子，裕宗之嫡孫也……。英宗……遇弒……，諸王按常不花……奉皇帝璽綬，北迎帝於鎭陽，癸巳，即帝位于龍居河。」

按龍居河，即元史之怯綠漣河，臚朐河，元朝秘史之客魯漣河，長春眞人西遊記之陸局河，湛然居士集之閭居河，張參事紀行之翁陸連河、驢駒河、北征錄之臚朐河、欽馬河，今之克魯倫河。

其間，嘗應杜輝卿之請，爲撰仁壽堂說。

吳文正集卷四「仁壽堂說」：「合陽杜翁年八十有二，而壽數正未艾，一鄉稱善人，名其所居之堂爲仁壽……。至治三年秋，識翁之子輝卿于京師，獲見時賢所贈仁壽堂記諸說，於是，推仁者壽之理，爲之說以附焉。」

十月甲子，逆賊也先鐵木兒等伏誅。

元史卷十九「泰定帝」：「至治三年……十月……甲子……，誅逆賊也先鐵木兒。」

先生亟謀南歸，以河冰未克果行，當因朝廷弑逆，人倫滅絕之故也。

吳文正集附錄「年譜」：「三年癸亥……十二月癸酉，逆賊以次伏誅，公亟謀治歸，河凍不可行。」

是歲，嘗應吳全節之請，撰大都東嶽仁聖宮碑。應申屠駉之請，撰九思堂記。

吳文正集卷五十「大都東嶽仁聖宮碑」：「玄教大宗師張留孫開府……，買地城東，擬建東嶽廟……，方待涓吉鳩工，而開府遽厭去，嗣師吳特進全節……，於癸亥，成四子殿，東西廡諸神像……，賜廟額曰仁聖宮，特進以書來請記。」

吳文正集卷四十二「九思堂記」：「予早歲，聞御史申屠君之名，敬慕而願識竟卒，未及見也。至治三年，予在京師，識其子駉，他日謁予曰：先人家東平，晚愛高郵山水，營別墅焉……，名所居堂曰九思……，敢徵一語，發揮其旨。」

元泰定帝元年、西元一三二四年、歲甲子。七十六歲。

正月，賜銀百兩，金織文錦四疋，推登極恩也。

吳文正集附錄「年譜」：「泰定元年甲子正月，賜銀百兩，金織文錦四疋。」

二月甲戌，江浙行省左丞趙簡上言，請開經筵。

元史卷二十九「泰定帝」：「元年……二月……甲元史卷二十九「泰定帝」：「元年……二月……甲戌，江浙行省左丞趙簡請開經筵及擇師傅，令太子及諸大臣子弟受學。」

因詔左丞相倒剌沙、平章政事張珪領其事。

道園學古錄卷十八「中書平章政事蔡國張公墓誌銘」：「公諱珪……，上肇開經筵……命左丞相與公領之。」

新元史卷三十一「宰相年表」：「泰定六年，左丞相倒剌沙，二月至十二月。」

然史傳則謂右丞相旭邁傑與珪領之。

新元史卷一三九「張珪」：「命開經筵，命右丞相旭邁傑與珪領，進封蔡國公知經筵事。」

珪因薦先生，主經學之進講。

道園學古錄卷四十四「故翰林學士資善大夫知制誥同修國史臨川吳公行狀」：「泰定元年，朝廷用江浙行省左丞趙簡言，開經筵進講，平章蔡國張公珪領之，以經學屬先生。」

壬午，議進講事宜，條請講官賜坐。

吳文正集附錄「年譜」：「泰定元年……二月，開經筵。議進講事宜，條奏敕講官賜坐。」

三月壬寅，上御明仁殿聽講，並賜食內廷。

吳文正集附錄「年譜」：「泰定元年……三月壬寅，上御明仁殿聽講，悉屏侍臣，唯宰相御史大夫在侍，講罷，命內饔賜食。」

甲寅，上御流杯亭，先生進講中庸舜其大學章，及資治通鑑，上大悅。

吳文正集附錄「年譜」：「泰定元年……三月……甲寅，上御流杯亭聽講，公講中庸舜其大學章，及資治通鑑數條，上大悅。」

然元史新元史本紀，均謂事在二月甲戌，疑爲三月甲戌之誤，蓋是時，據前引，趙簡始請肇開經筵也。

新元史卷十九「泰定帝」：「元年……二月……甲戌，中書平章政事張珪、翰林學士承旨忽都魯都兒迷失、翰林侍講學士吳澄、集賢直學士鄧文原，進講帝範，資治通鑑、大學衍義、貞觀政要。」

先生進講，言溫氣和，經旨宏暢，得古人進講之體，可供後世法。

道園學古錄卷四十四「故翰林學士資善大夫知制誥同修國史臨川吳公行狀」：「先生言溫氣和，經旨敷暢，得古人勸講之體，延中騤見文物之盛，而先生首當其任，來者法焉。」

四月辛巳，太廟新殿成。

元史卷二十九「泰定帝」：「元年……四月……辛巳，太廟新殿成。」

壬戌，中書集議太廟神主奉安事宜。

吳文正集附錄「年譜」：「泰定元年……四月壬戌，中書集議太廟神主。」

先生曰：古者天子七廟，太祖居中，昭穆神主，以次遞遷其廟。豈可宗廟敍次，不考古制乎？奈有司急於行事，竟一如其舊。

元史卷一七一「吳澄」：「在至治末，詔作太廟，議者習見，同堂異室之制，乃作十三室，未及遷奉，而國有大故。有司擬於昭穆之次，命集議之。澄議曰：世祖混一天下，悉考古制而行。古者天子七廟，太祖居中，左三廟爲昭，右三廟爲穆，昭穆神主，各以次遞遷其廟之室。今之……設，亦倣金宋，豈以宗廟敍次，而不考古制乎？有司急於行事，竟如舊次云。」

六月，奉敕爲玄敎二代大宗師吳全節，撰瑞鶴記。

吳文正集卷三十五「瑞鶴記」：「傳旨命玄敎大宗師吳全節，於崇眞萬壽宮，如其敎以蕆事，而虔告於天……。將事之時，有鶴東南而來者，三俯臨祠廬，飛繞久之，乃翺翺而去。成事之旦，有鶴自青冥而下者二，復臨祠壇飛鳴久之……。事上聞，有旨命詞臣撰錄……。泰定甲子夏六月望日記。」

八月，上將還自上都，詔賜侍講諸臣，金紋對衣。趙簡以肇建之功，則有加焉。

道園學古錄卷十一「書趙學士簡經筵奏議後」：「泰定元年春，皇帝始御經筵……，駕幸上都，次北口，以講臣多高年，召王結與集，執經隨行。至察罕腦爾行宮，又以講事，亟召中書平章張公珪，遂皆給傳驛，與李家奴燕赤等俱來。是秋將還，皆拜金紋對衣之賜，獨遣人就賜趙公簡於浙省，加白金焉，賞言功也。」

新元史卷十九「泰定帝」：「元年……八月……丙辰，車駕還自上都。」

冬，送國子生李黼，泗州省親有序。

吳文正集卷二十七「送國子學生李黼泗州省親序」：「潁州李黼之父，出守泗州，黼偕其兄藻，爲國子學弟子員，留京師……。越三年，泰定甲子冬，謁告往泗州，寧其父母……，自監學以下，俱有贈言，請予序其首。」

十二月，詔修英宗實錄。時漢人承旨缺，先生受命總其事。

新元史卷十九「泰定帝」：「元年……十二月……丙寅，修顯宗英宗實錄。」

道園學古錄卷四十四「故翰林學士資善大夫知制誥同修國史臨川吳公行狀」：「國史院修英宗實錄，時漢人承旨缺，先生總其事，分局修纂。」

然行狀謂在七月，壙誌謂二年乙丑二月，茲從正史之載。

道園學古錄卷四十四「故翰林學士資善大夫知制誥同修國史臨川吳公行狀」：「泰定元年……七月，國史院修英宗實錄。」

吳文正集附錄「壙誌」：「泰定元年……，明年二月有旨，修英宗實錄，時承旨缺，公總其事。」

是歲，因延祐經理民田，江西增賦三萬餘石。至治初，復行包銀之法，爲害至烈。先生遂以此二事，請于中書。除詔免包銀，且命查覆蠲免所增賦稅，惜有司因循，後未果行。

道園學古錄卷四十四「故翰林學士資善大夫知制誥同修國史臨川吳公行狀」：「延祐經理民田時

，激變贛之寧都，中外騷然，事定，詔蠲虛增之稅。惟江西有郡縣舞文之吏，以減削則例爲名，增稅三萬餘石，不得免。至治初，又行包銀，爲害亦甚。先生在朝，數言於執政。泰定改元，中書議便民之事，先生復以二事爲言。詔書始免包銀，且命體覆減削之名，而蠲除其稅，有司因循未行。」

劉中齋嘗致函譽之曰：「先生主經筵，正講席，啓沃聖上，鄉國增光。

中齋劉先生文集卷四「與吳草廬書」：「伏聞聖傳開經筵，明公正講席，此千載一時也。在宋大儒，惟程朱二夫子，得以所學進講，嘗有啓沃之功。」

有文贈一飛相士。

吳文正集卷三十四「贈一飛相士」：「予少有狂疾，志欲學飛，凡可以飛之術，每究心焉……，今年七十有六，適在京師。」

奉詔撰崇文閣碑。

吳文正集卷五十「崇文閣碑」：「僉謂監學櫝藏經書，宜得重屋以庋……，延祐四年夏經始……，名其閣曰崇文……，泰定元年春，誕降兪音，國子監立碑。」

元泰定帝二年、西元一三二五年、歲乙丑。 七十七歲。

正月一日，以疾不克會朝。辛卯，移疾寓天寶宮別館。

吳文正集附錄「年譜」：「二年乙丑正月朔，以疾不能會朝。辛卯，移疾。養疾南城天寶宮之別館。」

因宮中道士李天瑞，得悉眞大道敎，戒行嚴潔，與九代掌敎張淸志，特立獨行之風範，大爲欣慕焉。

吳文正集卷五十「天寶宮碑」：「泰定二年春，予以養疾，寓天寶宮之別館，其宮中之道士李天瑞……，合辭言：吾敎之興，自金人得中土，時有劉祖師，避俗出家……，戒行嚴潔，一時翕然。」

道園學古錄卷六「吳張高風圖序」：「泰定二年春，翰林學士臨川先生吳公，假寓南城天寶宮之別館。宮中之人，因爲先生言其敎之起因，與今第九代掌敎玄應張眞人之制行堅白也。先生曰：世乃有斯人也……！求先生爲文……，獨于眞人，欣然命筆。」

新元史卷二四三「眞大道敎」：「至張淸志……，朝廷重其名，給驛致之，俾掌敎事。淸志徒步至京師，深居簡出，人或不識其面。貴人達官未見，率告病，伏臥內，不肯起。」

辛丑，中書遣官問疾，知先生有歸意。庚戌，中書趣請議事。辛卯，中書具宴，遣禮部郎中楚揮，敦請還職。閏月辛未，國史院開局修英宗實錄，有旨賜宴，丞相親臨。二月，復奉旨進講。

吳文正集附錄「年譜」：「二年乙丑正月……辛丑，中書遣官問疾，朝中知公將南歸。庚戌。中書請議事，直省舍人某來。辛卯，中書具宴，禮部郎中楚輝，致丞相意，敦請還職。閏月辛未，翰林國史院開局，纂修英宗皇帝實錄。有旨賜宴，丞相親至，公以是居院之西廳。二月，進講。」

後嘗至天寶宮，訪眞大道敎九代掌敎眞人張淸志。因淸志平日，拒見權貴，致門人不敢傳報而未果。然先生譬之曰：視奔走高門，而惟恐有失一夫者，有間矣！

道園學古錄卷六「吳張高風圖序」：「他日病癒，返乎史館，思眞人之爲人，乘輿……。卽天寶宮而見焉。及門，童子辭曰：眞人深居至靜，自中朝貴人達官至者，未嘗敢以報……。先生顧謂從者曰：是其人，視奔高門縣簿，惟恐失一夫者，有間矣。卽命回車，蓋不惟不以爲忤，而更歎重其不可及。自是，夏多雨潦，規再往，未能也。」

七月，張眞人清志答訪先生於史館。司閽見其褐衣草履，不敢爲通。及先生子出而識之，因曰：歸告汝翁，余來報謁。先生亟出迎，已高歌歸去。使者追至麗正門，不敢致辭而返。好事者聞之，因繪高風圖，流傳以美之。

道園學古錄卷六「吳張高風圖」：「泰定二年……眞人曰：秋氣且清，吾不可不往謁吳先生，因著芒履，戴台笠，策木杖，有褐才短至膝……，步至國史院門，上馬石上踞坐。弟子告閽人曰：眞大道張眞人，上謁吳學士。閽人相顧嘻曰：他人見眞人者至，容服不若是，疑不爲通，而先生……不知也。先生子偶出門，見而識之，進問眞人何來？眞人曰：吳學士耶！以杖畫地，作誡字示之。還語若翁，吾來報謁。先生聞之，亟出見，眞人已去矣！…。使者追及麗正門（按：大都十一門之正南門）南三里所，長歌徐行……，追者不敢致辭返。好事者高二公之風，畫爲圖以傳觀。」

按此事月記不詳，然據前引，清志秋訪先生于史館。復據後引，先生八月辛亥，移疾不出，丙子，卽登舟辭歸，是淸志之訪先生也，當在七月，故云。

八月辛亥，實錄成而未上，卽移疾不出。丙子，中書左丞許師敬，奉旨賜宴，並致朝廷慰留之意。

然宴畢，卽出城登車而去。

吳文正集附錄「年譜」：「二年乙丑……八月辛亥，移疾。丙子，中書具燕擧留。左丞相（按：左丞之誤）許師敬，領官屬至院，燕畢，卽命小車出城。」

元史卷一七一「吳澄」：「實錄成而未上，中書左丞許思敬，奉旨賜宴國史院，仍敕朝廷勉留之意，澄宴罷，卽出城登舟而去。」

朝士吳特進全節，學士散散等，追餞于齊化門外。

道園學古錄卷四十四「故翰林學士資善大夫知制誥同修國史臨川吳公行狀」：「中書左丞奉旨，賜宴國史院……宴畢，命小車出城，朝士追送于齊化門外。」

吳文正集卷十二「回吳宗師書」：「去秋都門外，辱早出遠餞，極感盛心。」

吳文正集卷十二「回散散學士」：「老病浸加，不能久作京華之客，遂餞于郊，情誼厚甚。」

屬官劉光，與諸生餞于通州。

吳文正集卷七十七「有元徵事郞翰林編修劉君墓誌銘」：「于在禁林，自謙爲屬，南還之日，遠餞出通州……。姓劉氏，光其名也，住上饒葛源人。」

道園學古錄卷四十四「故翰林學士資善大夫知制誥同修國史臨川吳公行狀」：「宴畢，命小車出城……，諸生送至通州。」

中書聞之，亟命追之，至楊村不及西返。

吳文正集附錄「神道碑」：「宴畢，乘小車出城，委牒而去。中書聞之，卽以驛舟，追至楊村，不及而返。」

畿輔通志卷六十七「關隘、武清縣、楊村務」：「在縣東南五十里，由楊村……西北四十里，爲黃家務，又三十里爲河西務，皆運道所經也。」

九月，李燦然之任通山，將及廣陵，賦詩以爲贈別。

吳文正集卷九十四「送番陽李燦然」：「番陽李燦然，延祐戊午進士，崇仁六年，乃得代，赴都調選，改通山縣尹，在京共處月餘，今予移疾還家，又同舟而南，將及廣陵，爲賦七言四韻，以敍別情，泰定乙丑九月晦日也。」

十一月，至龍興，時值齊履謙以廉訪副使，宣撫江西，先生力言，朝廷詔令覆減江西賦稅，有司因循未行。履謙乃杖其屬吏，飭督憲司，履核蠲免。

道園學古錄卷四十四「故翰林學士資善大夫知制誥同修國史臨川吳公行狀」：「是年先生七十七歲，十一月，至豫章……。時值宣撫使在江西，其副齊公履謙，嘗與先生同官成均，相敬如師友，先生以告之，乃督憲司爲之除豁。」

滋溪文稿卷九「元故太史院使贈翰林學士齊文懿公神道碑」：「泰定二年，選充江西福建道，奉使宣撫江西……。初括江西地時，民或無力輸地，或地少輸多，日虛加糧，江西尤甚。詔諭憲司，覆實蠲免，久弗施行。公曰：上欲澤加於民，而憲司格之何也！旣杖屬吏，俾憲使親行覆實，免糧若干萬石。」

十二月返家。

吳文正集附錄「年譜」：「二年乙丑……十二月返家。」

五、歸老林泉與奬掖鄉彥時期

元泰定三年、西元一三二六年、歲丙寅。七十八歲。

二月乙酉，門人徐昭卒。

吳文正集卷八十三「樂安徐明可墓誌銘」：「樂安徐昭明可，服親之喪，旣練，泰定丙寅二月乙酉以疾終……。昭生三歲，喪其母陳，比長，促詩師學詩，吟詠可傳……。覽從弟尙，俱及吾門。」

三月己巳，翰林編修劉光，奉詔至家，特授資善大夫、翰林學士、知制誥同修國史。並賜中統鈔五千貫，金織文幣二表裏。

吳文正集附錄「年譜」：「三年丙寅，授翰林學士資善大夫知制誥同修國史……，并賜中統鈔五千貫，金織文幣二表裏，遣翰林編修官劉光，至家傳旨，三月己巳拜命。」

蓋先生旣南還，丞相數欲召致之，度不可得。乃言於上曰：吳澄舊德耆宿，宜加優禮，用示朝廷尊賢敬老之意。上深然之，遂有是命。

吳文正集附錄「年譜」：「公既歸，丞相數欲召還。或曰：公以高年稱疾而去，其可得而復致乎！丞相乃言於上曰：江南吳某，舊德望重。往年召爲學士，商議政事，進講經筵。今以年高辭朝而去，宜加優禮，以宣揚朝廷尊賢敬老之意，使天下有所激勸。而聖明之譽，亦可垂於無窮矣！上深然之，乃有是命。」

然拜表懇辭。

元文類卷十六「謝賜禮物表」：「接地風雲，際會親朋於明主。麗天日月，照臨遠及於老臣。賜之以府庫之財，衣之以筐篚之幣。承恩過厚，揆分何堪！俯瀝愚衷，仰塵睿聽。伏念臣荆揚賤士……，先帝擢之禁林，今皇處以經幄……。誤蒙上聖之簡知，得厠群賢之布列。然犬馬餘齒……，外之弗能效勤勞於郡縣，內之弗能裨謀議於廟堂。糜廩粟，費俸錢，素餐甚矣……，上所賜鈔錠段疋，除已嚮闕謝恩外，未敢欽受，謹奉表辭謝以聞。」

復分函中書平章政事烏伯都剌、中書左丞許師敬、翰林學士承旨烏都篤魯彌實、尙書曹子貞、參議王繼學等，代致懇辭之誠。

吳文正集卷十二「回忽都篤魯彌實承旨書」：「澄頓首再拜承旨相公執事：澄三歲得托末僚，席庇不淺……。公朝厚恩，賜以禮幣。但老病不才，愧無寸勞……。而受錫賚，於義不當也。謹已奉表闕廷，呈復省府懇辭。倘會當朝諸公，望助一語，俾得從請爲幸。」

吳文正集卷十二「與許左丞書」：「澄尸位三年……，疾病侵加，雖欲久客京華而莫可……。先荷政府勉留，已去之後，荷公朝賜予……。澄旣非勳舊，又無勞績，一旦濫叨重賜，爲之慙怍驚悸，是用攄誠懇辭，伏惟寅恭同協，肯爲轉旋，使澄於心得安。」

至與其他諸人之函，意若上引，見卷十二、十三，茲不贅。

後張珪奉旨入朝，復薦先生，宜委以承旨之任，俾總裁宋遼金史，及累朝實錄嘉言之修纂。

道園學古錄卷四十四「故翰林學士資善大夫知制誥同修國史臨川吳公行狀」：「張蔡公……未幾，復舉以自代更。制誥國史二事，所以成一王之大經，爲萬世之昭憲……。翰林學士吳澄，學通天人，行足師表……，文字亦其餘事。目今兩朝實錄，未經進呈，累朝嘉言善行，多合記錄，載事修辭，全憑學資。又遼金宋史……，曠日引年，未覩成效……。近蒙朝廷差官，優賜存問，禮意誠厚，然須使當承旨之任，總裁方可成就，所合舉以自代，久協輿論。」

新元史卷一三九「張珪」：「未幾，珪病增俱……，求去亦力。二年夏，得請暫歸……。三年，復遣使召珪，珪至……。」

按珪薦先生，宜位承旨，紀年不詳，然由珪三年復居政府，薦章又有近蒙朝廷差問，優禮存問先生之句，故此薦當在是年也。

七月，門人吳斐卒。

吳文正集卷八十三「金谿吳昌文墓誌銘」：「金谿吳斐……，泰定……三年……丁卯舟宿富陽二十里外，中夜如夢而逝……。天資純厚精敏……，進士業既通，及吾門問古大學之道，志在爲善士……。余之哀生也，如親子侄……。昌文，斐字也。」

十二月辛酉，應陳昇可之請，爲說其子堯命字伯高之意。

吳文正集卷九「陳堯伯高字說」：「泰定三年十二月辛酉，陳堯字之曰伯高，其父昇可，請爲說其命字之意。」

元泰定四年、西元一三二七年、歲丁卯。七十九歲。

三月，省墓樂安，蓋七世祖妣張氏，葬天授鄉之櫟步也。

吳文正集附錄「年譜」：「四年丁卯三月，省墓樂安縣，七世祖妣張氏夫人，葬天授鄉之櫟步。」

唯先生謂爲樂安鄉之櫟步，此或鄉名，後嘗更易，有以致之。

吳文正集卷四十七「金華玉山觀記」：「樂安鄉之櫟步，澄先塋在焉。」

遂遊金華山之玉山觀，并爲之記。

吳文正集卷四十七「金華玉山觀記」：「金華山……之陽，有道觀，名玉山……，泰定丁卯，余省先塋至玉山。」

江西通志卷一二三「勝跡略，寺觀三」：「玉仙觀，在安樂縣安樂鄉，晉泰寧二年建。」

夏訪友清江，因留焉。門人陳堯等從之。

吳文正集卷八十二「陳堯葬誌」：「泰定丁卯夏，予訪清江舊友，堯從。」

斯時，荆襄來學者，十有五人。

吳文正集附錄「年譜」：「四年丁卯……，留清江縣，荆襄來學者，十有五人。

六月，盧陵郭成子，以昔日先生答郝文所問，時人傳抄，題曰原理。因逐節繪製爲圖，請爲之言，故跋之。

吳文正集卷一「原理有跋」：「往年因郝仲明（按：江西湖東道肅政廉訪司經歷郝文之字）見問，一時答之之辭如此。聽者不能悉記吾言，故命史從旁書之……。有人傳錄以去，題其名曰原理，殊非吾意。今盧陵士郭成子，又逐節畫而爲圖，可謂有志……，泰定丁卯六月朔。」

是歲，嘗函賀劉賡載熙八十之壽。

吳文正集卷十三「賀劉載熙承旨八十啓」：「澄舊忝末僚，新知慶事。渺渺隔西江之白浪，拳拳瞻北極之紫垣。僻在勾吳之區，正勤采藥。遙祝公劉之壽，弗及躋堂。」

新元史卷一八五「劉賡」：「字載熙……，天歷元年，年八十一。」

識豫章崔德明於郡。

吳文正集卷二十六「送崔德明如京師序」：「豫章崔德明，至治癸亥鄉貢，次年試禮部竟失，特恩貳撫郡教官……泰定丁卯，予始識之。」

元泰定帝致和元年、文宗天曆元年、西元一三二八年、歲戊辰。八十歲。

正月，撰龍泉縣濟川橋記。

吳文正集卷三十八「龍泉縣濟川橋記」：「泰定五年正月，龍泉縣新石橋成，邑之人請記始末。」

四月十日，門人陳堯卒，先生痛悼之。

吳文正集卷八十二「陳堯葬誌」：「生長素封之家，而無膏粱紈綺之態。既成童，詣予所讀書。予每日談辯……，悉能悟解，退而與同輩共論，雖年在其上者，輒爲之屈……。泰定丁卯……，明年……以內疽之疾，不可救而殂，四月十日也……，年十九……，字伯高，婦吳氏。」其妻吳氏，亦哀傷欲絕。

玩齋集卷二「輓陳堯」：「草廬吳先生門人也，有俊才，年十八卒，其妻亦痛哭而絕。」

五月，有七言一首，以贈術者。

吳文正集卷一〇〇「贈術者，自稱能通皇極經世訣，戊辰五月」：「……不用安排能自然，能知其理爲知天。區區象數特糠粃，屑屑推占愈心偏。」

七月庚午，泰定帝崩于上都。

新元史卷十九「泰定帝」：「致和元年……秋七月……庚午，帝崩于上都，年三十有六。」

九月壬申，文宗卽位。

元史卷三十一「明宗」：「歲戊辰……，九月壬申，懷王卽位，是爲文宗，改元天曆。」

是歲，春秋纂言成。

道園學古錄卷四十四「故翰林學士資善大夫知制誥同修國史臨川吳公行狀」：「天曆元年，春秋纂言成。」

書賀門人虞集邵庵生辰。

道園學古錄卷十二「回吳先生慶初度啓」：「仰蒙尊執，俯念孤生。無聞又過十期，有賜忽來於萬里……，拜父師之祝嘏，懷皇覽之揆初。」按二人自延祐五年分手，至今年爲期十年，故繫於斯。

三答田澤問易，且謂僕年八十，望憐其愚老，無庸借視於盲也。

吳文正集卷二「答海南海北道廉訪副使田君澤問、第三書」：「澄……今年已八十……，手顫妨於運筆，命學子代寫……。澄老耄無知，卑賤無庸……，技能見識，止此而已。天下之廣，豈無傑特明達之士……，可陪明公之講論哉……。望憐其愚，不必更賜第四書，借視於盲……，非計之得也。」

按先生一生樂育四方，獎掖後進，不遺餘力。設非田某無知，兼又喋喋不休，致先生大爲光火，則答問之措詞，必不至如此也。

年譜繫此事於泰定三年，未知本何？

吳文正集附錄「年譜」：「三年丙寅……，答田憲副問。」

按先生三答田澤，皆收入文集，然皆不著年月。謹第三書，自云年已八十，未知年譜繫於丙寅歲，何所本？

元文宗天曆二年、西元一三二九年、歲己巳。八十一歲。

正月，門人虞集，書賀先生八秩晉一生辰。

道園學古錄卷十二「慶草廬先生初度啓」：「遂開九秩之齡，允爲一代之瑞。」按先生享年八十有五而卒，故開九秩之齡者，當意指八秩晉一，將及九秩也。因繫此事於斯。

五月二十九日，門人王進德卒。

吳文正集卷八十五「金陵王居士墓誌銘」：「諱進德，字仁甫……，天曆二年五月二十九日終……，余客居士家者屢，知其篤行詳矣！」餘見至治二年所引。

七月，江西省請考鄉試，疾辭不赴，易纂言外翼成。

吳文正集附錄「年譜」：「二月己巳七月，江西省請考鄉試，疾辭不起，易纂言外翼成。」

十一月，琴士李天和，遣子造門，貽書與論琴道，有書以答之。

吳文正集卷二十四「贈琴士李天和序」：「新淦李天和，儒宦之裔，少倜儻任俠，客四方，即襄陽而家焉……。天曆二年秋，自襄來淦，于冬之仲，命其子造門，貽書評三操之殊，考五弦之合，意若就正於野叟。」

是歲，嘗與門人袁明善，論及門下士，悵然以鄉黨無英才爲憾。

道園學古錄卷四十四「故翰林學士資善大夫知制誥同修國史臨川吳公行狀」：「天曆……二年……，游先生之門，南北之士，前後無慮千百人。門人袁明善，嘗從先生論及門下士。先生悵然曰

：聞吾郡多俊秀，宜有可望者。」

江西通志卷一五二「列傳、撫州府」：「袁明善字誠夫，臨川人，師事吳澄，晚年教授于虞集之門，自號樓山，所著有征賦定考，援引經傳，言井田水利之法甚備，經世書也。」

元文宗至順元年、西元一三三〇年、庚午。八十二歲。

冬，應周南瑞之請，撰安福州安田里塾壁記。

吳文正集卷四十一「安福州安田里塾壁記」：「至順元年冬，南瑞重來，爲剛請教，於是書吾言以遺，俾以揭諸……里塾之壁間。」

十一月，應宜黃鄧應元之請，撰迎恩橋記。

吳文正集卷三十八「迎恩橋記」：「迎恩橋在宜黃北門外，邑人鄧應元獨力所成也……。天曆庚午……，役始于仲夏，畢於仲多……，來請文以記。鄧氏者居南鄉之極境，父興家好義，予嘗客其門，應元季子也。」

是歲，朝廷因先生着德，特授其三子京，爲撫州儒學教授，以便奉養。

元史卷一七一「吳澄」：「天曆三年，朝廷以澄着老，特命次子京，爲撫州教授，以便奉養。」

按先生五子，伯曰文、仲曰袞、季曰京。袞早卒，故京行三，而可曰次子者因此。

長子文，亦蔭授奉議大夫同知柳州路總管府事。

吳文正集附錄「年譜」：「至順元年庚午，伯子文蔭授官。先是郡縣以公歸老，無復出意。舉文承蔭授奉議大夫同知柳州路總管府事。」

嘗答王參政結，有關易學之問。

吳文正集卷二「答王參政儀伯問」：「澄自寄弘齋記後……二月二十一日得去冬十月五日所惠翰教……，問目凡四……。」

滋溪文稿卷二十三「故資政大夫中書左丞知經筵王公行狀」：「公諱結，字儀伯，易州定興人，徙家中山……。晚尤邃於易，有易說若干言。臨川吳文正澄，讀而善之。」

序送史敏中，侍親還鄉。

吳文正集卷二十四「贈史敏中侍親還鄉序、至順庚午」：「敏中，崇仁縣尹史侯之子也……，侯眞定人，敏中字遜卿。」

元文宗至順二年、西元一三三一年、歲辛未。八十三歲。

春，清江徐鎰則用來訪，時已臥病踰月，強起迎之。

吳文正集卷二十五「送徐則用北上序」：「至順二年春，予八十三矣，臥病踰月不出戶，有清江徐鎰來訪，強起迎之……，謂余曰：鎰……有志四方，曩一至京師……，已有子可應門矣，將畢前志。」

則用侍先生有年，疑爲其弟子。

申齋劉先生文集卷四「答吳草廬書」：「弟年年恨不能如徐則用輩，一侍左右，良可惜耳。」

八月，長媳曾氏卒。十一月，孫畣以母喪，亦毀瘠卒，痛悼殊甚。

吳文正集附錄「年譜」：「二年辛未……八月，冢婦曾氏卒。十一月孫畣卒，居母喪，毀瘠卒，公惜其頴斂，哭之痛。」

是歲，同居各房，又喪一孫婦。異居至親，復喪一妹一弟，半載五喪，殊戚戚焉。

吳文正集卷十二「復趙廉使書」：「澄自京還家，荏苒八年……。去秋去冬，長子一房，洊罹喪婦喪孫之禍。而同居各房，又喪一孫婦。異居至親，又喪一弟一妹，半載之間，凡五喪，朝暮戚戚。」

按先生泰定二年己丑，自京還鄉。荏苒八年，卽至順三年壬申。故去秋去冬者，爲至順二年辛未，故繫此事于斯。

元文宗至順三年、西元一三三二年、歲壬申。八十四歲。

春，門人解觀來謁。

吳文正集卷十「解觀伯中字說」：「鄉貢進士解觀，天曆己巳，曁其弟蒙，聯貢禮部，至順壬申春，造予山間數日。」

宋元學案卷九十二「草廬學案、草廬門人」：「鄉舉解先生觀，吉水人，天曆鄉舉，預修宋史，有四書大義行於世。」

撰湖州廟學記。

吳文正集卷三十六「湖州重修廟學記」：「至順三年春，有事大聖，虔告成績，邦人士咸喜，乃來請文以記。」

六月，三京子，迎養先生於郡學。

吳文正集卷十二「復趙廉使書」：「今歲五月以後，就養少子，客寓郡城。」

吳文正集卷八十六「故臨川逸士于君玉汝甫妻張氏墓誌銘」：「余足跡不至城市十年，至順壬申夏，就子之養，而至焉。」

道園學古錄卷四十四「故翰林學士資善大夫知制誥同修國史臨川吳公行狀」：「三年，其第三子京，爲撫州路儒學教授，迎先生至府城。」

道園學古錄卷四十四「故翰林學士資善大夫知制誥同修國史臨川吳公行狀」：「三年……，迎先生至城府，學者無不得見，進而教之，靡間晨夕。雖偶病少間，未嘗輟其問答。」其間，學者無不得見，靡間晨昏，盡以教之。

門人李本伯宗，行年三十，始見先生。

道園學古錄卷三十四「送李伯宗」：「吳公……既老，就養郡庠……，吾郡……之子弟，無不得見焉。李本伯宗，得見公時，年將三十，未一年而公歿。」

宋元學案卷九十二「草廬學案、草廬弟子」：「李本，字伯宗，臨川人，從學於草廬。嘗道出王荊公祠，嘆其頹圮，總管府達魯花赤塔不台聞之，卽命繕新之。

古今圖書集成卷八八八「撫州府、祠廟考」：「王文公祠，在府內，本宋王安石薦宅，因建祠。陸九淵有記。」

道園學古錄卷三十五「王文公祠堂記」：「至順二年冬，中順大夫撫州路總管府達魯花赤塔不台，始至郡時……，明年，故翰林學士吳澄，就養郡中，過故宋丞相荊國王文公之舊祠，見其頹圮而歎焉。侯聞之曰：是吾責也，命郡吏……，使經營之。」

時撫州大旱，有達魯花赤禱雨記，以述其事。

吳文正集卷二十五「撫州路達魯花赤禱雨記」：「至順三年，六月不雨，至於七月，水歸乾折，稻苗萎瘁。」

八月己酉，文宗崩。

新元史卷二十三「文宗」：「三年……八月……己酉，帝崩于上都，在位五年，年二十九。」

十一月，謂門人袁明善曰：郡中子弟，得無不見者乎？

道園學古錄卷四十四「故翰林學士資善大夫知制誥同修國史臨川吳公行狀」：「居久之，則又謂明善曰：得無有未見者乎？後數日……，遂登車歸其鄉矣。」

據後引，先生十一月下弦自郡城還鄉，前數日，問門人明善，郡中子弟，得無未見者乎？故云十一月。

後數日，郡守請觀新建譙樓，乃賦詩一章，懷陸象山王荊公，以示學者，遂登車出城還鄉。

吳文公集卷九十七「登撫州新譙樓」：「至順壬申十有一月下弦之後，登新譙樓，緬懷王丞相陸先生之流風，成古詩一章，奉呈同志諸友」：「吾郡山水秀，雄麗冠江右……。嗟予二三友，高擧第一手，杇糜無色石，密補九天漏……。」

道園學古錄卷四十四「故翰林學士資善大夫知制誥同修國史臨川吳公行狀」：「三年……至城府……，居久之……，後數日，部使者郡守，請先生觀新譙樓，先生賦詩一章，懷王丞相陸子靜，以示學者，遂登車歸其鄉矣。」

是歲，嘗序孫履常文集，管季璋詩集。

吳文正集卷二十二「孫履常文集序」：「孫君履常者，有學者行，撫士之巨擘，予心所敬畏者也……，至順壬申，予至郡學……，舊學者王遠，抄履常之文……，是以書於其編。」

吳文正集卷二十二「管季璋詩序」：「予年八十四矣，始得見管如圭季璋之詩，讀之驚異曰：此地乃有此詩人乎……！是以爲題其卷端。」

並有書以覆趙廉訪使。

吳文正集卷十二「復趙廉使書」：「澄自京還家，荏苒八年矣。老病浸加，臥不離床，坐不出戶者連月……，今歲……炎暑中得所惠教，悠悠動久別之悲。」

按先生泰定二年乙丑，自京返家。荏苒八年，卽至順三年壬申也，故繫此函於斯。

文宗至順四年、順帝元統元年、西元一三三三年、歲癸酉。八十五歲。

遷母游太夫人於父墓之左。

吳文正集附錄「年譜」：「元統元年癸酉，遷母夫人游氏於里之魯步東邊，祔父左丞公墓左。」

禮記纂言成。

道園學古錄卷四十四「故翰林學士資善大夫知制誥同修國史臨川吳公行狀」：「四年，禮記纂言成。」

唯行狀謂在三年壬申。

吳文正集附錄「年譜」：「三年壬申……，禮記纂言成。」

六月，贈詩金工。

吳文正集卷一〇〇「贈金工新學篆劓、癸酉六月」：「赤幘白花逞妖媚，工錘驅歸宋無忌。鍊骨範形鐫鑿奇，花葉龍蛇有生意……。」

甲子，感暑得疾。雖服藥小瘉，然庚辰復發，丙戌遂卒，享年八十有五。戊子小殮，己丑大殮。

吳文正集附錄「年譜」：「元統元年……六月甲子，感暑得疾。公感疾，服藥數日小愈，踰旬頗安，體卽清和；今證（按：症）已去，而體氣若在病中，時殆未愈（按：瘉）也。庚辰復作，辛巳，公命孫當曰：吾疾異於常時矣。召學者曾仁曰：生死常事，可須使吾子孫知之。拱手胸前，正臥不動者數日。乙酉，揮藥不進，嗽水畢，瞑目不語，里中人夕見一大星隕於屋之東北隅。丙戌薨，年八十有五，卒時，神思泰然而逝。戊子小殮，襲用玄端。己丑大殮，用紋衿。」

子男五：文：蔭授奉議大夫同知柳州路總管府事、後先生一年卒。袞，先卒。京授撫州路儒學教授。稟、亶。孫男十：當、蕃、畣、當、苗、奋、　里、畀、畟、略、界。畣苗早世，當國子助教。女五：適譚曾熊袁黃，曾孫男四：亼全仚侖。孫女二。

吳文正集附錄「神道錄」：「子男五：文，蔭授奉議大夫同知柳州路總管府事，後公一年卒。袞、先卒。京，以便養，特授撫州路儒學教授。稟、亶。孫男十：當、蕃、畣、當、畓、　里、畀、畟、略、界。當，國子助教，畣畓早世。女五，譚觀、曾文、熊鈐、黃盅其婿也。曾孫男四、亼、全、仚、侖。孫女二。」

至正五年，贈資德大夫，江西等處行中書省左丞、上護軍、封臨川郡公、謚文正。妻余氏，臨川郡夫人。

吳文正集附錄「年譜」：「事聞，詔加資德大夫，江西等處行中書省左丞、上護軍、追封臨川郡公，謚曰文正。」

吳文正集附錄「壙誌」：「至正五年，贈江西等處行中書省左丞、上護軍、封臨川郡公，謚文正。」

七年七月九日，葬禮賢鄉太平里之古橋陳頓坑。

吳文正集附錄「壙誌」：「以至正七年初七日己酉，葬縣之禮賢鄉太平里。」

吳文正集附錄「神道碑」：「其葬，以元丁亥，其墓在縣之禮賢鄉，地名古橋陳頓坑。」

明一統志，謂在十三都。

大明一統志卷五十四「撫州、陵墓」：「吳澄墓，在崇仁縣東南十三都。」

清一統志，謂在神頓坑。皆一地而異稱也。

大清一統志卷三二三「撫州府、陵墓」：「吳澄墓，在崇仁縣東神頓坑。」

後復配祀宣廟。

吳文正集附錄「神道碑」：「永配孔庭，以式百世。」

邑建書院。

大明一統志卷五十四「撫州、書院」：「草廬書院，在崇仁縣南，御書閣基，前元邑令阿里建。」

大清一統志卷三二三「撫州府、學校」：「草廬書院，在崇仁縣東南耆小巷，元至元（按：後）中建，祀吳澄。」

省郡邑，皆建祠以祀之。

大清一統志卷三一〇「南昌府、祠廟」：「理學名賢祠，在南昌縣進賢門內，祀……周敦頤……，吳澄……，凡四十七人。」

大清一統志卷三二三「撫州府、祠廟」：「五賢祠，在臨川縣南三里，明建，祀宋陸九淵、元吳澄……。」

大清一統志卷三二三「撫州府、祠廟」：「吳文正公祠，在崇仁縣迎恩橋左，明宏治中建，祀吳澄。」

第三章　學養詩文造詣考

兼論其對學術思想之貢獻與影響

一、學養之境界

草廬早歲，資敏殊絕，幾可過目成誦。

道園學古錄卷四十四「故翰林學士資善大夫知制誥同修國史臨川吳公行狀」：「三歲，頴異日發……，敎之古詩，隨口成誦。五歲，就外傅，日受千餘言，誦之數過，即記不忘。」

吳文正集附錄「年譜」：「五歲，始就外傅，讀書累千百餘言，數過即能記。」

及長，復銳意德業。

吳文正集附錄「神道碑」：「十歲，知爲學之本，大肆力於朱子諸書，猶以大學爲入道之門，必日誦二十過，如是者三年。十五，遂以聖人之學自任。作勤謹二箴、敬和二銘……。十九，作自新、自修、消人欲、長天理、克己、悔過、矯輕、警惰諸銘，以自策勵。」

道園學古錄卷四十四「故翰林學士資善大夫知制誥同修國史臨川吳公行狀」：「十五歲，知厭科舉之業，而用力於聖賢之學。見朱子訓子帖，有勤謹二字，如得面命，而服行之，作勤謹二銘。又作敬銘，有曰：把捉其中，精神心術。檢束於外，形骸肌骨。又作和銘，極言周子程伯子氣象以自勉。常自言曰：讀敬銘，如臨嚴師，如在靈祠，百念俱消而不自覺；足自重，手自恭。讀和銘，心神怡曠，萬境皆融，熙熙然不知手之舞、足之蹈也。其後，又作顏冉銘、理一銘、自新銘、自修銘、消人欲銘、長天理銘、克己銘、悔過銘、矯輕銘、警惰銘、節節警策，踐實之功，於斯可見矣！」

以道統自任。

新元史卷一七〇「吳澄」：「十九歲著論曰：堯舜而上，道之元也。堯舜而下，其亨也。泗洙鄒魯，其利也。濂洛關閩，其貞也。分而言之，上古羲皇其元也，堯舜其亨乎！禹湯其利，文武周公其貞乎。中古之統，仲尼其元，顏曾其亨乎。近古之統，周子其元也，程張其亨也，朱子其利也。孰爲今日之貞，未之聞也。然則終無所歸乎？其以道統自任如此。」

道園學古錄卷四十四「故翰林學士資善大夫知制誥同修國史臨川吳公行狀」：「又嘗與人書曰：天生豪杰之士，不數也。夫所謂豪杰之士，以其知之過人，度越一世，而超出等夷也。戰國之時，孔子黨徒盡矣。充塞仁義若楊墨之徒，又滔滔也。而孟子生乎其時，獨願學孔子，而卒得其傳。當斯時也，曠古一人而已，眞豪杰之士哉！孟子沒千餘年，溺於俗儒之陋習，淫於老佛之異敎，無一豪杰之士，生於其間。至於周程張邵，一時迭出，非豪杰其孰能與於斯乎？又百年，而朱子集數子之大成，則中興之豪杰也。以紹朱子之統自任者，果有其人乎！」

且老而彌篤。

中齋劉先生文集卷四「答吳草廬書」：「求如古人胸次氣象，自先生外，斷斷無第二人。雖耆年碩德，而學如不及，猶惜陰競辰。」

故用功之勤，實踐之勇，歷觀一代之士君子，未之若也。

道園學古錄卷四十四「故翰林學士資善大夫知制誥同修國史臨川吳公行狀」：「盛年英邁，自任以天下斯文之重，蓋不可禦也……。艱難避地，垂數十年，其所以自致聖賢之道者，日就月將矣。歷觀近代，進學之勇，其孰能過之。」

程雪樓文集卷首「楚國文憲公雪樓程先生年譜」：「咸淳三年丁卯，公年十九歲，游臨川，讀書臨汝書院，受業族祖徽庵先生若庸，與翰林學士吳文正澂爲同門。徽庵乃饒雙峯先生高弟，有字義行世。」

吳文正集卷二十七「贈許成可序」：「往年吾邦部使者，邀至新安程君逢源（按：文曰達原，誤），來臨汝書院，爲諸生講說諸子之學……。時余弱冠，數數及門。」

宋元學案卷八十三「雙峰學案，山長程徽庵先生若庸」：「字逢源，休寧人，從雙峰及沈毅齋貴珍，得朱子之學。淳祐間，聘湖州安定書院山長。馮去疾創臨汝書院於撫州，復聘爲山長。咸淳間，登進士，授武夷書院山長，累主師席。其從遊者最盛，稱徽庵先生。著有性理字訓、太極圖說，陳定宇極稱其字訓。」

因嘗師事程徽庵若庸。

戴泉溪良齊。

宋元學案卷六十六「南湖學案：秘監戴泉溪先生良齊」：「字彥肅，黃巖人。嘉熙進士，累官秘書少監。以古文鳴，而尤精性理之學。所著有中說辯妄、通鑑前紀、曾子遺書、論語外書……，草廬吳文正師之。」

復遊於程月巖紹開之門。

吳文正集卷三十四「送程鼎實序」：「月巖程公，明戴氏禮，貢於鄉，選於上庠……，志行清悛嚴恪，不苟合，不輕進，而溫然四海爲春意，行乎萬仞礫卓之間。嗚呼！使公得展所蘊，名公卿也。而被其澤者，幾千萬人。然而　崎歷落，年餘五十，乃擢乙科，官至經府元僚而止……。予公之門人也。」

宋元學案卷八十四「存齋晦靜息庵學庵，徑畈門人程紹開」：「號月巖，廣信人，嘗築道院（道一書院），以合朱陸兩家之說。」

是以，學承新安文公。

宋元學案卷八十三「雙峯學案，文元饒雙峰先生魯」：「字伯輿，一字仲元，餘千人。髫齡有志於學，稍長，從黃勉齋幹、李宏齋燔學……。專意聖賢之學，以致知力學爲本……。百家謹案：黃勉齋幹，得朱子之正統，其門人，一傳於金華何北山基、以遞傳於王魯齋柏、金仁山履祥、許白雲謙。又於江右，傳饒雙峯魯，其後，遂有吳草廬，上接朱子之經學，可謂盛矣。」

宋元學案卷六十三「勉齋學案」：「黃幹字直卿，閩縣人。父瑀，以篤行直道著聞。父歿，往見清江劉氏子澄，因命受業朱文公。自見文公後，夜不設榻，不解帶，少倦，則微坐一倚，或至達曙，後文公以其子妻之。」

按文公朱熹，字元晦，一字仲晦，晚號晦翁。宋婺源人，僑寓建州，紹興進士，歷任高孝光寧四朝，累官寶文閣待制。其學，大抵窮理以致其知，反躬以踐其實，而以居敬爲主。宋代理學，至公集其大成。慶元中致仕，卒年七十一，諡文。寶慶中，贈太師，追封信國公，改徽國。淳祐間，從祀孔子廟庭。以嘗講學於福建之考亭，故宗其學者，遂稱考亭學派。又以婺源，本隋新安郡地，晦翁自署，輒稱新安朱熹。故學者又以新安，代稱其學派。復因諡曰文，故朱子之外，又稱朱文公。見宋史卷四三九本傳。

兼出金谿象山。

宋元學案卷五十八「象山學案、私淑」：「金谿續傳，侍郎湯晦靜先生巾，晦靜弟子程月巖先生紹開，月巖弟子吳草廬澄。」

四庫全書總目提要卷一四六「道德眞經註四卷」：「元吳澄撰……。澄學出象山，以尊德性爲本。」

宋元學案卷八十四「存齋晦靜息庵學案」：「湯千字升伯，饒之安仁人……。弟巾，字仲能……，與先生並師柴憲敏公中行，繼又事西山。祖望案：隆陽湯氏三先生，導源於南溪，傳宗於西山。而晦靜由朱入陸，傳之東澗，晦靜又傳之經畈，楊袁之後，陸學爲之一盛也。」

按象山，姓陸氏，名九淵，字子靜，宋金谿人，乾道進士，歷國子正教，遷將作監丞，尋奉詔主管台州崇道觀，遂還鄉里。居貴溪之象山，自號象山翁，學者遂稱象山先生。光宗立，除知荊門軍，務以德化，民俗爲變。其學以尊德性爲主，以事著述。嘗與朱子會鵝湖論辯，所學多不相合。又以無極而太極，貽書往來論難不置。故言宋之理學者，有朱陸之別。見宋史卷四三四本傳。

附吳草廬師承淵源圖：

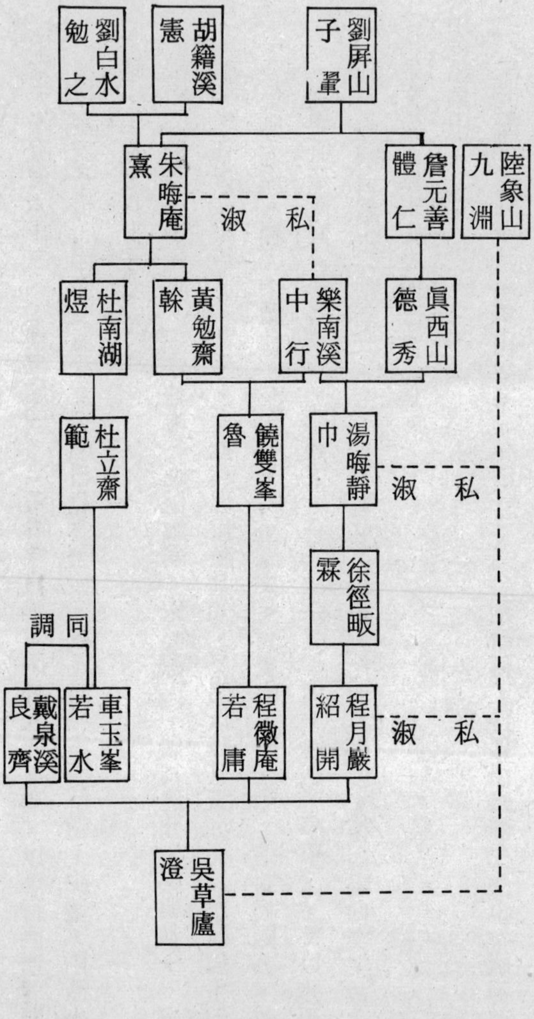

故其爲學，輒能窮洙泗而達其源，本程朱而得其奧。

吳文正集卷首「明韓陽序」：「迨乎前元，眞儒亦罕，惟魯齋許先生、草廬吳先生焉。先生才智過人，默悟斯道，遠溯洙泗之流，而窮其源；近紹程朱之統，而得其要。」

攝王陸之旨，以爲之助。

申齋劉先生文集卷十二「祭草廬吳先生文」：「皇元肇興，先生特起。道程朱之問學，參王陸以遊遨。」

按「參王陸以遊遨」之王，疑爲王荊公。蓋荊公爲先生鄉賢，草廬就養郡中，既歎其祠之頹圮，郡吏因新之。復於返鄉之時，賦詩一首，懷王荊公陸子靜，以示學者。見道園學古錄卷四十「跋吳先生登新樵樓詩後」，吳文正集附錄「年譜」。

復按王安石，字介甫，號半山，宋之臨安人。性強忮，堅於自信。議論高奇，詩文險峭。神宗朝爲相，封荊國公。立意變法，以謀強國。創農田水利、方田均稅、保甲、保馬、青苗、市易等新法。以求成過急，任用非人。功效未見，弊端百出。遂求外補而卒，謚曰文。蘇東坡撰其贈官制，嘗譽之曰；名高一時，學貫千古。智足以達其道，辯足以行其言。瑰瑋之文，足以藻飾萬物。卓絕之行，足以風動四方。故草廬敬此鄉賢，有所師法，至有可能焉！見宋史卷三二七本傳。

綜朱陸之旨，而執其中。

宋元學案卷八十四「存齋晦靜息庵學案」：「梓材謹案：謝山述草廬學案序錄云：草廬出雙峰，

固朱學也。其後亦兼出陸學，蓋草廬又師程氏紹開。程氏嘗築道院，思和會兩家。據此，則先生本爲陸學，而和合朱學者也。」

四庫全書總目提要卷二十八「春秋纂言十二卷、總例一卷」：「元吳澄撰……。澄非蹈襲人書者，蓋澄之學派，兼出金谿新安之間。」

道園學古錄卷四十四「故翰林學士資善大夫知制誥同修國史臨川吳公行狀」：「先生嘗爲學者言，朱子道問學工夫多，陸子靜卻以尊德性爲主。問學不本德性，則其弊端偏於言語訓詁之末。」

既博極經傳，復洞貫天文地理，曆數兵刑、百家之言。

吳文正集卷首「明韓陽序」：「上焉天文，下焉地理，與夫九經之微辭奧義，以至諸子百家言，罔不研究，眞知實踐，各臻其極。」

中齋劉先生文集卷十二「祭草廬先生吳公文」：「談經于雜亂紛糾，既解之後，若易而實難。折理于毫釐千里，既辯之末，宜逸而反勞。蓋議禮者，易訟而難決。學易者，易割而難操。」

用能於諸經錯簡糾紛既解之後，折理於毫釐既辯之餘。

道園學古錄卷十二「慶草廬先生初度啓」：「歷觀統緒之傳……，未有如學士先生。魯殿靈光，獨立雲霄之表。禹河砥柱，旁無附河之峯……。述群經而畢究，俾百世而不迷。遂開九袠（按：秩）之齡，允爲一代之瑞。」

疏註群經，釋滌百氏。

吳文正集附錄「神道碑」：「乃若吳公，研磨六經疏滌百氏。綱明目張，如禹之治水。」

正其文字之簡錯。

吳文正集卷一「老莊二子敍錄」：「老氏書，字多謬誤，合數十家，校其同異，考正如右。」

吳文正集卷一「四經敍錄」：「周易……，宋東萊先生呂氏，始之以復其舊……，其文字闕衍謬誤，未悉正也。故今重加修訂，視舊本頗爲精善。」

釐其章句之紊亂。

吳文正集卷一「四經敍錄」：「小戴記三十六篇，澄所序次……。此書千有餘歲矣，而其顛倒糾紛，至朱子始欲爲之，是正而未及，意豈無望於後人歟！用敢竊取其意，修而成之。」

吳文正集卷一「葬書敍錄」：「世俗所行，有二十篇……。建安蔡元定季通，去其十二，而存其八……。然……猶不無顛倒混淆之失……。」

一其紛雜之釋，破其穿鑿之解。

道園學古錄卷四十四「故翰林學士資善大夫知制誥同修國史臨川吳公行狀」：「春秋纂言，蓋取近代儒者特見之明，以破往昔諸家傳註之陋，決自己意而折衷之，使人知聖筆，有一代之法。」

抉微闡幽，剔僞存眞。

吳文正集附錄「神道碑」：「天地之大，六籍在焉……。六籍之義，有顯有晦……。昔豈弗求，求或未至；昔豈弗明，明或猶蔽。天監六籍，生此哲人。抉微闡幽，志氣如神。其言汪汪，其書洋洋。」

宋元學案卷九十二「草廬學案」：「謝山……曰：宋人多疑古文尚書者，其專主今文，則自草廬始。是書出世，人始決言古文爲僞，而欲廢之。」

吳文正集卷一「四經敍錄」：「書二十八篇，漢伏生所口授者，所謂今文書也……。梅頤增多伏生書二十五篇，稱爲孔子壁中古文……。故今特出伏氏二十八篇如舊，以爲……確然可信……焉。」

綱擧目張，造妙論宏。

吳文正集附錄「年譜」：「公生於淳祐……，乃毅然有志，拔乎流俗，以逕高明之域……。研經籍之微，玩天人之妙……。著書立言，以示後學。」

融諸家于一爐，極先聖之至道。

道園學古錄卷五「送李擴序」：「近者吳先生之來爲監官也……，慨然思有以作新其人……。其爲敎也，辯傳註之得失，而達群經之會同。通儒先之戶牖，以極先聖之閫奧。」

著作之豐，累盈百卷。

四庫全書總目提要卷一六六「吳文正集一百卷：「元吳澄撰……。澄於註解諸經外，訂正張子邵子書，旁及老子、莊子、太元、樂律、八陣圖、葬經之類，皆有撰論，而文集裒然盈百卷。」

藏諸國學，遺乎後世。

新元史卷一七〇「吳澄」：「二十五年，鉅夫白於執政，吳澄不欲仕，所著詩書春秋諸書，得聖賢之旨，可以敎國子，傳之天下。敕江西行省，籍錄其書以進。」

吳文正集附錄「年譜」：「至元二十六年……進呈諸經，令藏國子監崇文閣。」

扶世立敎之功，良亦溥也。

道園學古錄卷四十四「故翰林學士資善大夫知制誥同修國史臨川吳公行狀」：「先生生八十有五年，耳聰目明，以終其身，得以其學，肆於聖經賢傳，以辯前儒之惑，以成一家之言。天下後世之學者，可以探索玩味於無窮矣！」

故不僅配祀宣廟。

吳文正集附錄「神道碑」：「其學之方，其國之光。天下師儒，國中通貴。永配孔庭，以式百世。」

爲百代之師。

吳文正集附錄「神道碑」：「著書立言，師表百世。又豈一材一藝，所得並哉！」

且世論以爲，朱子之後，論學問之宏肆賅博，未之有焉。

新元史卷一七〇「吳澄」：「自朱子以後，博通經術，未有及吳文正者。」

中齋劉先生文集卷十二「祭草廬先生吳公文」：「其博學彊記，在前史爲獨行。」

吳文正集卷首「明韓陽序」：「吁！先生之文，道德性理之文。先生之學，周邵程朱之學也。孔門千載而下，若先生者，曾幾何人哉！」

二、著作之博洽

草廬一生，勤於著述，至老不輟。

元史卷一七一「吳澄」：「少暇即著書，至將終，猶不置也。」

吳文正集附錄「年譜」：「天曆二年，己巳，八十一歲，七月，江西省請考鄉試，辭疾不起，易繫言外翼成。」

著作之豐，計有易纂言十卷、易敍錄十三篇，易纂言外翼八卷。

江西通志卷九十九「藝文略、經部一」：「元吳澄撰：易纂言十卷、易敍錄十三篇、易纂言外翼八卷。」

書纂言四卷、周禮考註十五卷、周禮經註十卷、儀禮逸經傳三卷、禮記纂言三十六卷、月令七十二候集解一卷、三禮考註六十四、大戴禮敍錄一卷、春秋纂言十三卷、總例一卷。

江西通志卷一〇〇「藝文略、經部二」：「元吳澄撰：書纂言四卷、周禮考註十五卷、周禮經註十卷、儀禮逸經註十卷、禮記纂言三十六卷、月令七十二候集解一卷、三禮考註六十四卷、大戴禮敍錄一卷、春秋纂言十二卷、總例一卷。」

道德眞經註四卷，訂正南華內篇三卷。

江西通志卷一〇六「藝文略、子部三」：「元吳澄撰：道德眞經註四卷、訂正南華內篇二卷。」

孝經定本一卷、孝經外翼十卷。

江西通志卷一〇一「藝文略、經部三」：「元吳澄撰：孝經定本一卷。」

道園學古錄卷四十四「故翰林學士資善大夫知制誥同修國史臨川吳公行狀」：「孝經章句，最早所定，而外翼十卷亡矣！」

復有四書敍論、中庸合註、學基學統私錄，琴言十則。

江西通志卷一〇一「藝文略、經部三」：「元吳澄撰：四書序論一冊、中庸合註定本一冊。」

江西通志卷一〇五「藝文略、子部一」：「元吳澄撰：學基學統私錄、琴言十則。」

以及校註詩經、太玄經、張子書、皇極經世書、郭璞葬書、八陣圖、樂律定本。

新元史卷一七〇「吳澄」：「校正皇極經世書及……太玄經、樂律、八陣圖、郭璞葬書，皆行于世。」

吳文正集卷一「四經敍錄」：「詩……，由漢以來，說三百篇之義者，一本詩序。詩序，不知始於何人，後儒從而增益之……。宋儒頗覺其非者，而莫能去也。至朱子始深斥其失，而去之……。今因朱子所定，去各篇之序，使不淆亂乎詩之正文，學者得以詩求詩，而不爲序說所惑。」

道園學古錄卷四十四「故翰林學士資善大夫知制誥同修國史臨川吳公行狀」：「周子程子之書，既定於朱子之手。而張子邵子之書，先生始爲校定次第，正其訛缺。張子書，挈東西銘於篇首，而正蒙次之。」

與燬於兵火後，業已殘缺之吳文正集一百卷。

四庫全書總目提要卷一六六「吳文正集百卷」：「元吳澄撰……。爲其孫當所編，永樂丙戌，其五世孫爟所重刋，後有爟跋曰：友言集一百卷、私錄二卷，皆大父縣尹公手所編類，刋行于世。不幸刻板俱燬於兵火……，迨永樂甲申，始克取家藏刻本，重籌諸梓……，惟卷首增入年譜、神道碑、行狀、國史傳以冠之……。則此本乃殘缺之餘，非初刻之舊矣！」

考其校釋諸經，皆有敍錄，以述其更定章句，匡正謬誤之始末。

吳文正集卷一「邵子敍錄」：「邵子書，今所校定……。是書嗜之者鮮，傳之者謬誤最多，乃整齊其篇章文字，幼安命工刻板，以與世之學者共觀。」

吳文正集卷一「太玄經敍錄」：「楊子云：擬易以作太玄……。晉范望……牽綴割裂，無復成文……。今本亦如書之小序，各冠篇首，併爲考正，於子雲之書，蓋不無小補云。」

吳文正集卷一「四經敍錄」：「書，二十八篇，漢伏生所口授者，所謂今文書也……。生老，言不可曉，使其女，傳言敎錯（按：晁）。齊語多與潁川異，錯所不知，凡十二三，略以其意屬續而已……。其間闕誤顚倒固多，然不害其爲古書也……。東晉……梅賾增多伏生書二十五篇，稱爲孔氏壁中古文……。今特出伏氏二十八篇如舊，以爲……確然可信……焉。」蓋古文尙書，先生以爲「斷斷然不敢信此二十五篇之爲古書」也。

復輒有纂言，以陳其博深正大之成說，兼以己意之創見，而釋經義之主旨。

道義學古錄卷四十四「故翰林學士資善大夫知制誥同修國史臨川吳公行狀」：「其於易學之五十餘年……，其纂言，則纂古今人之言，有合於己之所自得者。大抵因朱子象占之說，而增廣其精微。若項安世玩辭等說，則因之，蓋致其潔靜。至於自得之妙，有非學所能遽知。」

四庫全書總目提要卷四「易纂言十卷」：「元吳澄撰……，是書用呂祖謙古易本經文，每卦先列卦變主爻，每爻先列變爻，次列象占，十翼亦各分章次，其訓解各附句下，音釋考證，則逕附每卦之末，傳附每章之末。間有文義相因，附辯於句下，偶一二見，非通例也。」

論者雖以為，其校註諸經，率以己意，竄點割裂經文，殊非瑕疵。

四庫全書總目提要卷四「易纂言十卷」：「元吳澄所撰……。澄於諸經，好臆為點竄。惟此書所改，則有根據者多。」

四庫全書總目提要卷十二「書纂言四卷」：元吳澄撰……。澄專釋今文……，惟其顛倒簡錯，以意自為，且不明言，所以改竄之故。」

四庫全書總目提要卷二十八「春秋纂言十二卷、總例一卷」：「元吳澄撰……。澄於諸經，率皆有竄點，不獨春秋為然。」

四庫全書總目提要卷一四六「道德眞經註四卷」：「元吳澄撰……。蓋澄好竄改古經，故於是書，亦多所更定，殆習慣成自然云。」

然其註春秋，輒能破傳註之穿鑿，折衷其疑義，言簡論宏，有一代之法。

新元史卷一七〇「吳澄」：「於易書春秋禮記，各有纂言，盡破傳註穿鑿之習。」

王忠文公集卷二「贈陳伯柔序」：「吳文正公……，其於群經，悉厘正其錯簡，折衷其疑義。」

道園學古錄卷四十四「故翰林學士資善大夫知制誥同修國史臨川吳公行狀」：「春秋纂言，蓋取近代儒者特見之明，以破往昔諸家傳註穿鑿之陋，決自己意而折衷之，使人知聖筆，有一代之法。」

四庫全書總目提要卷二十八「春秋纂言十二卷、總例一卷」：「元吳澄所撰……。其天道人紀二例，澄所創作，餘……則與宋張大亨……闇合而不自知。然其縷折條分，則較大亨爲密矣！」

解易，亦詞簡意精，融貫舊聞，遠非元明諸家所能期及，允爲一代治易之巨擘。

四庫全書總目提要卷四「易纂言十卷」：「元吳澄撰……。然其解釋經義，詞簡理明，融貫舊聞，亦頗賅洽，在元人說易諸家，因終爲巨擘焉。」

四庫全書總目提要卷四「易纂言外翼八卷」：「元吳澄撰……。澄爲纂言，史稱其能盡破傳註之穿鑿，故言易書，多宗之。是編類聚區分，以求其理之會通。如卦統卦對二篇，言經所以厘爲上下，乃程朱所未及。象例諸篇，闡明古義，尤非元明諸儒，空談妙悟者可比。雖稍有殘缺，然宏綱巨目，尚可推尋。」

釋書，則專主今文，昔所未見；論者稱之，尤爲絕識。

新元史卷一七〇「吳澄」：「其書纂言，祇註今文二十八篇，不用僞孔古文，尤爲絕識。」

四庫全書總目提要卷十二「書纂言四卷」：「元吳澄撰……。是編其書解也……，專釋今文，則自澄此書始……。澄專釋今文，尚有合於古義，非王柏詩疑，擧歷代相傳之古經，肆意刊削者比。」

宋元學案卷九十二「草廬學案」：「謝山……曰：宋人多疑古文尚書者，其專主今文，則自草廬始。是書出世，人始決言古文爲僞，而欲廢之。」

至於校定三禮，亦縷折博洽，脈絡一貫，每多所發明。

四庫全書總目提要卷二十「儀禮逸經傳二卷」：「元吳澄撰……。是編掇拾逸經，以補儀禮之遺。凡經八篇……，其編次先後，皆以行禮之節次……。較之汪克寬書，則條理精密多矣！」

四庫全書總目提要卷二十二「禮記纂言三十六卷」：「元吳澄撰……。大旨以戴記經龐雜，疑多簡錯，故每一篇中，其文皆以類相從，俾上下意義，聯屬貫通，而識其章句於左……。虞集稱其始終先後，最爲精密……。其所排比貫聯，頗有倫次。所解，亦時有發明。」

勘釋孝經、老莊，亦較昔人，條理精密，議論宏博，殊非方士者流，可望其項背。

四庫全書總目提要卷三十二「孝經定本一卷」：「元吳澄撰……。所定次第，雖多分裂舊文。而註解簡明，亦秩然成理。朱子刊誤，既不可廢；則澄此書，亦不可不存，蓋至是孝經，有二改本矣！」

四庫全書總目提要卷一四六「道德眞經註四卷」：「元吳澄撰……。此註所言，與蘇轍指意略同，雖不免援儒入墨，而就彼法言之，則較諸方士所註，精邃多矣！」

故精排比，破穿鑿，厘簡錯，發奥蘊，卓然成一家言，視漢儒之名家專業者，有間矣！

元史卷一七一「吳澄」：「於易春秋禮記，各有纂言，盡破傳註穿鑿，以發其蘊，條歸紀敍，精明簡潔，卓然成一家言。」

道園學古錄卷四「臨川吳先生畫像贊」：「業廣而精，德固而尊。厘折群言，以究斯文。」

王忠文集卷二「贈陳伯柔序」：「有元以來，大江以西，有二大儒焉。曰吳文正公、虞文靖公。文正公之學，主於爲經。其於群經，悉厘正其簡錯，折衷其疑義，以發前儒所未發，而集其成。討論賅洽，封植固深，視漢儒之顓門名家者有間矣！」

至月令七十二候集解、三禮考註、中庸合註，經考則非先生之手筆，皆託僞之作焉。

四庫全書總目提要卷二十四「月令七十二候集解」：「舊題元吳澄撰……。兼採雜書，亦乖解經之法，疑爲好事者爲之，託名於澄。」

四庫全書總目提要卷二十五「三禮考註六十四卷」：「舊本題元吳澄撰……，即以澄三禮敍錄及禮記纂言考之，所列篇目亦不合。其經義混淆，先後矛盾者，不一而足……。草廬名儒，豈可疏謬至此……，是書之僞，可以無庸疑矣！」

四庫全書總目提要卷三十七「中庸合註一卷」：「考其所引，皆明永樂中，所修四書大全之說，必書書賈摘錄大全，僞記澄名以售也。」

三、詩文之造詣

草廬論詩文，以爲詩發乎眞情，本乎自然。

吳文正集卷十七「譚晉明詩序」：「詩以道性情之眞，十五國風，有田夫閨婦之辭，而後世文士，不能及者，何也！發乎自然，而非造作也。」

吳文正集卷二十二「何敏則詩序」：「天時物態，世事人情，千變萬化，無一或同。感觸成詩，所謂自然之籟。」

務重出陳創新。

吳文正集卷二十二「周栖筠詩序」：「茲事豈易言哉！善詩者，譬如釀花之蜂，必渣滓盡化芳潤融液，而後貯於脾者皆成蜜……。不可強而爲，襲而取。」

必戒造作摹擬。

吳文正集卷二十二「何敏則詩序」：「無其時，無其態，無其事，無其情，而想像摹擬，安排造作，雖似猶非，況未必似乎！」

故詩，似易實難。世有學貫千古，文妙一世，而不能詩者。

吳文正集卷二十二「周栖筠詩序」：「世有學術貫千載，文章妙一世，而詩語或不似者。唐宋六七百年間，有學有文，而又能詩者，不過四五人而已。茲事豈易言哉！」

文則以爲，當尙義理。蓋理明則氣暢，意精則辭達。

吳文正集卷五十六「書貢仲章文稿後」：「理到氣昌，意精辭達。如星燦之爛，如風行水流，文之上也。」

詰屈聱牙，非所以求工求奇之道也。

吳文正集卷五十八「書貢仲章文稿後」：「初不待倔強其言，蹇澀其句，怪僻其字，隱晦其意，而後工且奇……。」

至於其詩，以雅愛邵子，且深有所悟，故詩亦近之。

道園學古錄卷四十四「故翰林學士資善大夫知制誥同修國史臨川吳公行狀」：「又以邵子，爲孔子以來，一人而已，蓋其於邵子之學，深有所悟也。」

元詩選五集「吳澄草廬集、小傳」：「有草廬集，詩四卷，先生雅好邵子書，故其詩，多近之。」

務敦世教。

吳文正集卷九十四「勉學詩」：「三十年前好用工，男兒何者謂英雄。世間有事皆當做，天下無堅不可攻。萬里行方由足下，一毫非莫入胸中。拳拳相勉無他意，三十年前好用工。」

吳草廬集卷五「感興」：「子房爲韓心，孔明興漢事，三代以後人，卓偉表萬世。」

義理爲主。

吳文正集卷九十四「勉學吟」：「三十年前好用工，爲師不過發其蒙。十分底蘊從人說，百倍工夫自己充。舊學須要新學養，今朝不與昨日同。拳拳相勉無他意，三十年前好用工。」

草廬集卷六「王謙道惠茶惠墨不受次韻酬之」：「不受東風不惹塵，淸都瑤草一庭春。睚情牢落無魔到，閑卻扣門傳信人。」按淸都者，洪州淸都觀也。

不刻意苦吟以求工。

按邵子擊壤集，凡二十卷。其詩源於白居易，自抒胸臆，脫然於詩法之外。蓋以理論爲本，修詞爲末。故不爲苦吟以求工，然亦非故意以鄙俚爲高也。草廬旣雅邵子，且深有所悟，故詩亦近之焉。

然亦句多巧思。

元詩紀事卷七「筆精」：「吳草廬專志理學，而詩亦多巧思，如詠雪云云……皆超脫理學蹊徑者也。」

吳文正集卷九十三「爲舒景春賦東皐」：「東皐種杏者，今往杏花村。收穀虎衞道，銜珠蛇報恩。牕紅開曉沴，草碧驗春溫。豈待閒舒嘯，柏湖眞有孫。」

草廬集卷四「夜坐」：「……客中又見秋風起，夜半初聞木葉吟。涼意逼人眠不得，坐看孤月到天心。」

意調高遠。

吳文正集卷九十四「題大乾廟壁」：「大業龍舟竟遠行，義寧孤媚忍欺人。北方名署新年號，南嶠猶遺舊守臣。身合沈江甘殉楚，心知蹈海勝歸秦。塵間俯仰幾楊季，樵水東流萬古春。」

吳文正春卷五十六「書李柏時九歌圖後」：「李家畫手入神品，楚賢流風清凜凜。誰遣巫陽叩帝閽，爲招江上歸來魂……。千年往事今如新，摩挲舊畫空愴神。騰身輕擧一回首，楚天萬里江湖春。」

清麗婀婉。

元詩選乙集「吳草廬集小傳」：「其句法超逸處，如喬木嘯清風，寒花醉香露……，俱清婉可誦也。」

吳文正集卷九十四「立春日寓北方賦雪詩」：「臘轉洪鈞歲已殘，東風剪水天下壇。賸添吳楚千江水，壓倒秦淮萬里山。風竹婆娑銀鳳舞，雪松偃蹇玉龍寒。不知天上誰橫笛，吹落瓊花滿世間。」

草廬集卷四「次韻楊司業芍藥」：「寒沍深冬宿異根，發榮今日須謝恩。淺潮半醉流霞暈，清印初昏淡月痕。花下蜂狂成勝集，草間狼藉倒芳樽。紫芝興味亦如此，誰信京華有綺春。」

冲淡飄逸。

草廬集卷三「又和張仲美韻」：「病減湌加進，神清睡攢遲。避風違北牖，待月立東垂。人定籟聲寂，天旋斗柄移。有誰知此意，謾說鑄鐘期。」

迴拔雋奇。

草廬集卷四「疊葉梅」：「羅浮夢斷杳無蹤，冰雪仙姿兩兩逢。縞袂怯單寒後襲，粉粧嫌薄晚來濃。迎風一笑知顏厚，臨水相看見影重。道服只將平等視，玉環飛燕總天容。」

氣勢雄渾。

吳文正集卷九十四「用贈李燦然韻述懷」：「故里香玩滑欲流，歸田計晚愧遲留。懸知海上三仙客，塵視人間萬戶侯。南去擬尋吳市卒，北來喜共李仙舟。玄翁一室渾無白，誰識王龔貢鮑優。」

殊彬彬乎，斐然可觀焉。

四庫全書總目提要卷一六六「吳文正集一百卷」：「元吳澄撰……。澄則詞華典雅，往往斐然可觀。據其文章論之，澄其尤彬彬乎！」

其文則溫醇典雅。

元朝文類卷八「吳澄撰：平章張珪封蔡國公制」：「平章政事張珪，彝常世閥，廊廟宗工。早總戎旃，已作禮樂詩書之帥。晚司化軸，遂稱文學政事之臣。左右六朝，出入三府。險夷不易其守，鯁亮以如其初。太清懼薄食之昏，前期致沐浴之請。越予新服，嘉乃舊勳。諤諤之節，詎肯詭隨。侃侃之言，類多裨益……。」

春容閎麗。

元朝文類卷十六「吳澄撰、謝賜禮物表」：「接地風雲，際會親逢於明主。麗天日月，照臨遠及於老臣……。伏念臣荆揚賤士，樵牧孤蹤。幼誦孔氏之遺書，無繇見道……。先帝擢之禁林，今皇處以經幄。講論古訓，對揚耿光。誤蒙上聖之簡知，得側群賢之列布。然犬馬餘齒，已非少壯之年。而螻蟻微誠，莫展驅馳之志。外之弗能效勤勞於郡縣，內之弗能裨謀議廟堂。糜廩粟，費俸祿，素餐甚矣！辱高位，速官謗，淸議凜然……。」

復理暢旨遠。

元朝文類卷三十八「吳澄撰：無極而太極說」：「太極者何也？曰道也。道而稱之曰太極何也？曰假借之詞也。道不可名也，故假借可名之器以名之也。以其天地萬物之所由也，則名之曰道。道者大路也，以其條派縷脈之微密也，則名之曰理。理者玉膚也，皆假借而爲稱者也。眞實而無妄曰誠，全體自然曰天……，付與萬物曰命，物受以生曰性，得此性曰德，具其心曰仁。天地萬物之統會，曰太極。道也，理也，誠也，天也……命也，性也，德也，仁也，太極也，名雖不同，其實一也……。道者，天地萬物之極也，雖假借極之一字，強爲稱號，而曾何足以擬議其髣髴哉！故又盡其辭而曰太極者……。然則何以謂之無極？曰道爲天地萬物之體，無體謂太極。而非有一物，在一處，可得而指名之也，故曰無極。」

扶世立敎。

吳文正集卷十一「與程侍御書」：「忠賢得路，自古所難。畏天命，悲人窮，君子大公至正之心焉。事業不必出於己，名聲不必歸於己。竭吾誠，輸吾之所學，有能用之，天下被其福，則君子之志願矣，此外何求哉！」

融孔孟先聖之道。

吳文正集卷二十八「送黃文中赴西澗書院山長序」：「昔夫子删詩定書敍禮正樂讚周易，五經備矣！猶曰託之空言，不如載諸行事也，於是作春秋，漢儒專門明經學者，往往引春秋斷國論。其最純者，江都董相也……。明春秋者，臨大事，決大議，破竹解牛，靡所凝滯。」

吳文正集卷三十一「送樂順序」：「夫易，昔夫子所以教門弟子，無非日用常行之事，使之謹勑於辭色容貌之間，敦篤於孝弟忠信之行。其於書於詩於禮，蓋常言之，而言及易者鮮。」

結邵程朱陸之學。故徒以藝文視之，則何啻千里也。

元朝文類卷二十九「吳澄撰：凝道山房記」：「子思子言道，所以有貴於能凝者歟！凝之之方，尊德性而道問學也。德性者，我得此道以爲性。尊之……如神明，則存而不失，養而不害矣！然又有進修之功焉……。德性一而學問之目八，子思子言之詳矣！廣大精微，高明中庸。故也、新也、厚也、禮也，皆德性之固然當然者。盡之、極之、溫之、知之，問學以進吾知也。致之之道，敦之、崇之，問學以修吾所行也。尊德性一乎敬，而道問學，兼乎知與行。一者立其本，兼者互相發明也。問學之力到功深，則德性之體全用博，道所以凝也夫。」

若與許魯齋較之，則醇正不減，而典雅宏麗過之。

四庫全書總目提要卷一六六「吳文正集一百卷」：「當時以二人爲南北學者之宗，然衡（按：許）……之文，明白朴質達意而止。澄則詞華典雅，往往斐然可觀。」

四、對學術思想之貢獻與影響

元初北方之學，承宋金遺緒，以記誦章句相因。滋溪文稿卷十四「內丘林先生墓碣銘」：「若我國家，初有中夏，踵宋金遺留，以記誦章句相因。」逮許魯齋，始以孔孟之教，程朱之學，倡明斯道。滋溪文稿卷十四「內丘林先生墓碣銘」：「許文正公，始以孔孟之書、程朱之訓，倡明斯道……。士皆知趨正學，不爲異術他歧所惑。」不尙文辭，務敦實踐。許魯齋集卷六「古今儒先議論」：「魯齋余實仰慕，竊不自揆，妄爲言之。其質純，其識高，其學粹，其行篤……，不爲浮靡無益之言，而有厭文弊，從先進之意。」清容居士集卷二十七「贈翰林學士嘉議大夫馬公神道碑」：「方許文正公講授鄉里，時蘄許可，遊其門者，察以歲月，始命執弟子禮……，授理性大義，以躬行爲先。」許魯齋集卷六「古今儒先議論」：「至許魯齋，專以小學四書教人，爲修己敎人之法，不尙文辭，務敦實行。」然則日久弊生，馴至謂修詞申義爲玩物，辯難問答爲躐等。視無猶爲，乃涵養德性。深中厚貌，爲變化氣質。道園學古錄卷五「送李擴序」：「文正歿……，而後之隨聲附影者，謂修辭申義爲玩物，而從事於文章。謂辯疑答問爲躐等，而始困其師長。謂無猶爲，爲涵養德性。謂深中厚貌，爲變化氣質。是皆假美言，以深護其短。外以聾瞽天下之耳目，內以蠱晦學者之心思。此上負國家，下負天下之大者也。而謂文正之學，果出於此乎！」

而南方之學，本有程朱之訓以爲宗。惜因南宋當國者，重加禁絕，亦若金末然，徒尙空言，汨亂正學，去道日遠。

吳文正集附錄「年譜」：「嗚呼！方宋周元公，倡聖賢之絕學，關洛之大儒繼出。遷國江南，斯道之傳，尤勝於閩境。已而，當國者不明，重加禁絕。嘉定以來，國事旣章，而東南之學者，靡然從之。其設科取士，亦必以是爲宗。其流之弊，往往馳騖於空言，而汨亂於實學。以至於國亡，而莫之悟。」

吳文正集卷二十五「別趙子昂序」：「宋遷而南，氣日以耗，而科擧又重壞之，中人以下，沈溺不返，上下交際之文，往往沽名釣利而作，文之日以卑陋也無怪。」

迨乎元代中晚，草廬繼魯齋之後，復力矯其失。經學與文藝兼顧，德性與實踐並重。

吳文正集附錄「年譜」：「公取程淳公學校奏疏、胡文公六學敎法，及朱文公貢擧私議三者，斟酌去取。一曰經學，易詩書儀禮周禮禮記大戴記，附春秋三傳。附右諸經，各專一經，並須熟讀經文，傍通諸家講說義理，度數度白分曉。凡治經者，要兼通小學書及四書。二曰行實，孝於父母，弟在家弟於兄，在外弟於長。睦和於宗族，婣和於外姓之親。任厚於朋友，恤仁於鄉里，以及衆人。三曰文藝，古文詩。四曰治事、選擧、食貨、禮儀、樂律、算法、吏文、星曆、水利、各於所習，讀通典、刑統、算經諸書，是爲擬敎法。」

新元史卷一七〇「吳澄」：「擬之四科，許德行，訓言語，吳其文字歟！」

終致一代學風，爲之丕變。

道園學古錄卷四十四「故翰林學士資善大夫知制誥同修國史臨川吳公行狀」：「於是，一時游觀之彥，雖不列在弟子員者，亦皆有所觀感，而與起矣！」

兼以，校註諸經，匡其紊亂，破其穿鑿，發其蘊奧。有元一代，論著作之豐，經學之閎，殊少其匹也。

故其於學術思想之貢獻與影響，良亦溥哉！

俱見前引四庫全書總目提要，對先生著作之評論。

吳文正集附錄「神道碑」：「吳公……雖事上之日短，而得以聖賢之學，爲四方學者之依歸，爲聖天子致明道敷敎之實，故其及也深。」

宋元學案卷九十二「草廬學案」：「百家謹案：幼淸從學於程若庸，爲朱子四傳。考朱子門人，多習成說，深通經術者少。草廬五經纂言，有功經術，接武建陽，非北溪諸人可比。」

第四章 門弟子考

試補宋元學案之草廬學案

一、德望冠絕，天下學者翕然歸之

有元一代，雖世稱北許南吳。

吳文正集附錄「神道碑」：「皇元受命，天降眞儒，北有許衡，南有吳澄，所以恢宏至道，潤色鴻業，有以知斯文未喪，景運方興也。」

宋文憲公集卷三十九「國朝名臣序頌、吳文正公澄」：「紫氣蟬聯，神物蜿蜒……。於道早知……，氣蓋八區……。北許南吳，先後合符，人文之敷。」

許魯齋集卷六「古今儒先議論」：「魯齋吾莫測其何如人，但想其大而已。元人有以北有許衡，南有吳澄並稱者。」

師表百世。

吳文正集附錄「神道碑」：「而著書立言，師表百世，又豈一材一藝，可得並哉！」

宋文憲公集卷四十七「許魯齋先公贊」：「濂洛之學……，逮我許公，會聞行知……，嗚呼許公，百世之師。」

然二賢相較，則幼清之學，誠篤固不及仲平，而淹博過之。

新元史卷一七〇「吳澄」：「其學誠篤不及衡，而淹博過之。」

蓋魯齋之學，主誠篤以化人。而草廬之學，則重著述以立敎也。

四庫全書總目提要卷一六六「吳文正集一百卷」：「元吳澄撰……。當時以二人為南北學者之宗，然衡之學，主於篤實以化人；澄之學，主於著作以立敎。」

按草廬一生，博極群經，卽天文地理，曆數兵刑，百家之言，亦無不臻妙造宏。

新元史卷一七〇「吳澄」：「於易書春秋禮記，各有纂言……。又訂孝經定本……，校正皇極經世書，及老子、莊子、太玄經、樂律、八陣圖、郭璞葬書，皆行於世。其儀禮逸經八篇，傳十篇，危素得其刊本，補刊之。」

吳文正集卷首「明韓陽序」：「迨乎前元，眞儒亦罕。惟魯齋許先生，草廬吳先生焉耳。先生才智過人，默悟斯道。遠泝洙泗之流，而窮其源。近紹程朱之統，而得其要。上焉天文，下焉地理，與夫九經之微辭奧義，以至諸子百家之言，罔不研究，眞知實踐，各臻其極。」

吳文正集附錄「年譜」：「精力方強，凡天文地理，律曆田賦，名物算數，博考經傳，而得夫觀察之微，制作之故。」

用能校釋諸經，註滌百氏。

吳文正集附錄「神道碑」：「乃若吳公，研磨六經，疏滌百氏。綱明目張，如禹之治水。」

釐折群言，完經翼傳。

道園學古錄卷四「臨川吳先生畫像贊」：「業廣而精，德周而尊。釐折群言，以究斯文。」

宋文憲公集卷六「故熊府君墓誌銘」：「夫自吳公，纘承伊洛之緒於將墜之餘，完經翼傳，抉秘闡幽。」

道園學古錄卷十二「慶草廬先生初度啓」：「歷觀統緒之傳……，未有如學士先生……。述群經而畢究，俾百世以不迷。」

冶諸家於一爐，達先聖之至道。

道園學古錄卷五「送李擴序」：「於是先生之爲教也，辨傳註之得失，而達群經之會同。通先儒之戶牖，以極先聖之閫奧。」

著作之豐，累盈百卷。

四庫全書總目提要卷一六六「吳文正集一百卷」：「澄於註解諸經外，訂正張子邵子書，旁及老子、莊子、太元、樂律、八陣圖、葬經之類，皆有撰論，而文集尙裒然盈百卷。」

至其詩文，亦清奇超逸，典雅宏麗。且諸體皆備，斐然可觀。

元詩紀事卷七「筆精」：「吳草廬專志理學，而詩亦多巧思，詠雪云云……，皆超脫理學蹊徑者也。」

四庫全書總目提要卷一六六「吳文正集一百卷」：「澄則辭華典雅，往往斐然可觀。」

元詩選乙集「吳澄草廬集、小傳」：「有草廬集，詩四卷……。其句法超逸……，俱清婉可誦也。」迥非許魯齋遺書，僅寥寥數卷，詩文質樸達意而已者，所可期及。

四庫全書總目提要卷一六六「吳文正集一百卷」：「當時以二人爲南北學者之宗，然衡……之文，明白朴質達意而止……。據其文章論之，澄其尤彬彬乎！」故德望冠絕於時。

道園學古錄卷四十四「故翰林學士資善大夫知制誥同修國史臨川吳公行狀」：「張蔡公……其再相也，力薦起先生……，其辭云：勑奉明詔，肇啓經筵……，翰林學士吳澄，心正而量遠，氣充而神和，博考於事物之頤，而達乎聖賢之蘊。致察於實踐之微，而極乎神化之妙……。經學之師，當代寡二。」

申齋劉先生文集卷十二「祭草廬先生吳公文」：「公之存也，自南至北，皆知悅服。公之歿也，識與不識，皆爲號咷。」

吳文正集附錄「神道碑」：「以聖賢之學，爲四方學者之依歸。」天下學者，翕然歸之。

王文忠公集卷二「贈陳伯柔序」：「方公（按：澄）之講學也，天下學者，翕然師之，從而游者衆矣！」兼之，一生樂育四方，志在樹人。

道園學古錄卷五「送李擴序」：「近者吳先生之來爲監官也……，慨然思有以作新其人，而學者翕然歸之。」

嘗敎於鄉里。

吳文正集附錄「年譜」：「咸淳八年，壬申，授徒山中。」按卽崇仁之咸口，因地當臨川、華蓋兩山之間，故先生累稱咸口爲山中。

敎于樂安。

新元史卷一七〇「吳澄」：「至元十二年，撫州內附，樂安丞蜀人黃西卿，不肯降，遯之窮山中，招澄敎其子，澄從之。」

敎于宜黃。

吳文正集附錄「年譜」：「至元二十五年，戊子，授徒宜黃縣明新堂。」

敎于龍興。

道園學古錄卷四十四「故翰林學士資善大夫知制誥同修國史臨川吳公行狀」：「元貞元年八月，游豫章西山，憲幕長郝文中仲明，迎先生入城，請學易，南北學者日衆。」

敎于揚州。

道園學古錄卷四十四「故翰林學士資善大夫知制誥同修國史臨川吳公行狀」：「七年春（按：大德）……，先生歸至揚州。時憲使趙公宏道，及寓珊公竹、盧公摯、賈公鈞、趙公英……，先後留先生，身率弟子諸生受業。」

敎于京師。

新元史卷一七一「齊履謙」：「四年（按：至大）……，擢國子監丞，改授奉直大夫國子司業，與吳澄並命，時號得人。」

敎于金陵。

道園學古錄卷四十四「故翰林學士資善大夫知制誥同修國史臨川吳公行狀」：「延祐五年……，寓金陵門人王進德家新書塾，所至學者雲集。」

敎于江州。

吳文正集附錄「年譜」：「延祐六年……十月，留江州，寓濂溪書院，南北學者百餘人。」

敎于清江。

吳文正集附錄「年譜」：「泰定……四月丁卯三月……，留清江縣，荆襄來學者十有五人，八月還家。」

敎于臨川。

道園學古錄卷四十四「故翰林學士資善大夫知制誥同修國史臨川吳公行狀」：「三年（按：至順），其第三子京，爲撫州路儒學敎授，迎先生至府城，學者無不得見，進而敎之，靡間晨夕。」

所至學者雲集，浩不可遏。

道園學古錄卷四十四「故翰林學士資善大夫知制誥同修國史臨川吳公行狀」：「先生博學精妙，

有未易言者。門人之多，浩不可遏。」

故弟子之衆，多至千數百人。

元史卷一七一「吳澄」：「士大夫皆迎請執業……，常不下千數百人。」

道園學古錄卷四十四「故翰林學士資善大夫知制誥同修國史臨川吳公行狀」：「游先生之門，南北之士，前後無慮千百人。」

且有負笈數千里。

吳文正集卷二十九「贈南陽張師善序」：「南陽張師善，爲學有志，通朱子詩傳，能應進士學矣，不遠數千里，造吾門而學焉。」

新元史卷一七〇「吳澄」：「一夕謝歸，諸生（按：國子學）有不謁告，而從之者。」

吳文正集附錄「神道碑」：「延祐……四年……，明年秋，行至眞儀，以疾謝，遣使者，就金陵，過九江，拜周元公墓而歸。北方學徒數十人，皆從之至家，留不去。」

元史卷一七一「吳澄」：「故出登朝署，退歸於家，與郡之所經由，士大夫皆迎請執業。而四方之士，不憚數千里，躡屩負笈，來學山中……。」

追隨有年。

中齋劉先生文集卷四「答吳草廬書」：「弟年年恨不能如徐則用輩，一侍左右，良可惜耳。」

終生奉之爲師者也。

元史卷一七一「吳澄」：「元貞初，游龍興，按察司經歷郝文，迎至郡學，日聽講論，錄其問答，凡數千言。行省掾元明善，以文學自負，嘗問澄易詩書春秋奧義，歎曰：與吳先生言，如探淵海，遂執弟子禮終其身。」

二、弟子可考者一〇四人

草廬之弟子雖衆，然可考者，僅一〇四人。計見於宋元學案者三十三人。見於元明之詩文集及有關方志者七十一人。謹將其生平，與出處之書名、篇目、卷數，分陳如後，或將有助於宋元學案之研究。

(甲)見於宋元學案者三十三人

(1)王祁：祁，藁城人，從草廬受業，既有得，乃歸教鄉里，士多賴以成就。見宋元學案及畿輔通志卷二一三「列傳、元二」。

(2)署令趙宏毅：宏毅字仁卿，正定之晉州人。少好學，家貧無書，傭於巨室，晝則爲役，夜則借書讀之。後從草廬受經，有學行，始辟爲翰林書寫，後擢國史院編修官，遷大樂署令。明軍入城，宏毅嘆曰：忠臣不二君，烈女不二夫，此古訓。今力不能救社稷，但有一死報國耳。遂與妻游氏，自縊殉國。子恭，爲中書勾管，亦與妻訣曰：今乘輿北奔，我父子世食祿，不能效方寸力，況吾父母已死節，尚何敢愛死乎！見宋元學案及畿輔通志卷二一三「列傳、元二」，新元史卷二三三本傳。

(3)李擴：擴，歸德人，事草廬最久，先生之書，無不得而讀之。復從虞集學文，後以國子生舉，條試中選授官。見宋元學案及道園學古錄卷五「送李擴序」。

(4)饒約：約字敬仲，臨川人。從草廬受業甚久，且嘗隨之入京。虞集邵庵評其詩文曰：陳義之高，論事之遠，引援於往昔聖賢之業，鋪張乎一代文章之體，縱橫開合，動蕩變化，可喜可駭！可感可嘆！父宗魯，五歲喪母，事繼母至孝。天曆二年，郡縣大旱，乃發廩賑之，賴全活者無數。見宋元學案及吳文正集卷八十「饒宗魯妻周氏墓誌銘」，江西通志卷一五二「列傳、撫州府」，道園學古錄卷三十四「饒敬仲詩序」。

(5)州判許晉孫：晉孫字伯紹，其先汴梁人，後徙家建昌。弱冠游京師，荐補國子生，博士姚牧庵燧，尤器重焉。擢延祐二年進士，授南城縣丞，改贛州錄事，秩滿，遷長興判官。丁車夫人憂，未上。服除，以茶陵州判官起於家。至順六年卒，得年四十有五。君筮仕後，始從草廬受業，每以及門晚為憾。為文無謾辭詭辯，而多骨鯁之言。見宋元學案及金華黃先生文集卷三十三「茶陵州判官許君墓碣銘」。

(6)大學士王恂：恂字仲孚，本崇德人，後徙居嘉興。嘗從草廬受易，盡得其傳。後至元五年，擢乙亥科進士。洪武初，禮部擧恂明經老儒，達於治體，可備顧問。召至京師，時年八十餘。上命為文華殿大學士，輔導東宮。恂固辭，諭曰：以卿年高，故授此卿；不久，隨卿致仕。復固辭，翼日放歸。著有易傳大義，西溪漫稿行于世，學者稱西溪先生。見宋元學案及清閟閣全集卷十二「聽兩樓諸賢記」、浙江通志卷一七五「儒林上、嘉興府。」

(7)教授鄭眞：眞字千之，寧波人，求齋覺民之子也。研窮六經，尤長春秋。百家傳記，靡不究心。

元季科舉中廢，乃刻意古作。復從草廬受業，先生策以治道十二，皆經史之雋永，對者十不及一，眞毫無停滯。洪武四年，鄉試第一，授臨淮教諭。晉王就國，道經臨淮，召講春秋，開陳大義，炳如日月，王嘉稱先生而不名。秩滿入見，太祖賜宴，命賦菊綻、西風、霜脂、楓葉詩稱旨，遷廣信教授。嘗采鄉先生言行文辭，萃爲一編，曰四明文獻錄。又類聚諸家格言，著爲集傳集說集論及雜著論文六十卷。見宋元學案及浙江通志卷一七五「儒林、寧波府」。

(8)都事藍光：光字仲晦，臨川人，與危素同受業於草廬。初爲安南路主事，江西陷，光入閩，轉行省照磨，尋遷檢校都事。時八閩騷擾，陳參政方事興役，一言不合，遂拂袖去。全閩內附，光深衣幅巾，隱居教授，朵仲謙參政江西，薦之，謝病不起，以節終，年九十有九。見宋元學案及江西通志卷一五二「列傳、撫州府」。

(9)徵君黃極：極字建可，樂安人，師事草廬。元統中，南台薦其窮極義理之學，恪守貧素之風。廉介不阿，不求聞達。徵之不起，所著有西齋集。子寶，字仲瑤，淹洽經史，與何叔、張潔、王翊，稱樂安四杰。明永樂間，徵之，亦不起。見宋元學案及江西通志卷一五二「列傳、撫州府」、卷一〇八「藝文略、集部二、別集」。

(10)教授黎仲基：仲基，名載，以字行。臨川人，性端莊，嘗謁草廬於郡學。先生喜曰：期年所接，無如君者。後以明經博學薦，伯顏拜湖廣行省左丞相，徵爲太平路儒學教授。蘄黃盜起，常以奇策，助伯顏取勝江上。歸築室瓜園。洪武初，再薦不起卒。有瓜園集十卷、語八卷。見宋元學案及江西通志卷一五二「列傳、撫州府」、卷一〇八「藝文略、集部二、別集」。

⑾潘音：音字聲甫，天台人，或謂新昌人。甫十歲而宋亡，見長老談厓山事，卽潸然涕下。讀夷齊傳，繫節歎嘗。日杜門讀書，絕意仕途。後訪友義烏，因往從受業。泰定中，聞草廬以薦召，音止之，不從。遂築室南州山中，匾其軒曰待淸，躬耕世田十餘畝以自食。或勸之著述，曰：六經語孟，先儒之言備矣，吾何以註脚爲！閒居感憤，或形之詩歌；讀書有得，往往書之壁墉。至正三年，詔徵天下遺逸，廉訪使檄贇之行，固辭，乙未卒，年八十有六，有待淸軒遺稿行于世。見宋元學案及浙江通志卷一九二「隱逸、紹興府」、元詩選「庚集、小傳」。

⑿李心原：心原，吉水人。師事草廬，通五經，確守朱子之學，尤善推演其說。見宋元學案及江西通志卷一四六「列傳、吉安府」。

⒀楊準：準字公平，號玉華居士，泰和人，履行修潔，嘗從草廬受業。文章高古，甚爲虞集、歐陽元所推許，危素尤爲敬服之。時修宋遼金三史，諸公薦之，不就，所著有玉華居士集。見宋元學案及江西通志卷一四六「列傳、吉安府」，卷一〇八「藝文略、集部二、別集」。

⒁包希魯：希魯字魯伯，進賢人。穎悟絕倫，嘗受古今尙書於草廬，節履端嚴，爲後進楷法。其教人，先德行，後文藝，士風爲之一新。及歿，門人私謚曰忠文先生，所著有四書凡例、易九卦衍義、詩小序辯、史辯集、諸子纂言、說文解字補義十二卷及納若集行於世。門人傅箕、王槐最著。見宋元學案及江西通志卷一三五「列傳、南昌府」，卷九十九、卷一〇一、卷一〇六、卷一〇八「藝文略」。

⒂酒務丁儼：儼字主敬，新建人。從草廬受業，深器之，嘗爲撰主敬字說以勉之。范梈嘗拊其背曰：有美君子，如金如玉，吾不及也。母病，侍湯藥，不解帶者兩月，及喪，哀毁幾絕。時吏督鹽値、搒笞無虛日，乃傾貲以代輸。撫鄒氏子侖，爲娶婦而敎誨之。手編金閨彝訓八卷，著小谿集四卷、寓興十卷。授龍興酒務大使，值兵變未仕，卒于家。見宋元學案及江西通志卷一三五「列傳、南昌府」，卷一〇六、卷一〇八「藝文略」。

⒃鄉擧解觀：觀字觀我，又字伯中，原名子尚，入試名觀，吉水人。幼警敏嗜學，從草廬受業。自天文地理，兵刑曆律，靡不精究，尤深於易。天歷二年，與弟蒙，俱中江西鄉試。上春官不合，草廬以宋史屬之。翰林典籍危素，奉詔起修三史，觀上書，大忤時相，逕歸。居近虎邱山，建東山書院於金釵嶺，扁曰麗澤齋，弟子自遠至者甚衆。著宋史一千卷、天文星曆一卷、地理若干卷、刑書考一卷。又衍八陣圖，註武經，作萬分歷推步如神。復有儒家博要、四書大義、周易義疑通釋行於世。見宋元學案及江西通志卷一四六「列傳、吉安府」，卷九十九、卷一〇一、卷一〇二、卷一〇五「藝文略」，卷二十五「選擧志表、元」，吳文正集卷十「解觀字伯中字說」。

⒄陳伯柔：伯柔，崇仁人，以里中子，從草廬受業，復從虞邵庵集受古文，故其治經，則推本文正，修辭則取法文靖。識見高絕，而篤於自信。操志秉節，不務諧乎流俗。遭世多故，益能韜晦。後以薦擧而起，再調官于諸曁。見宋元學案及王忠文公集卷二「贈陳伯柔序」。

⒅王粱：粱字純子，樂安人，草廬講友王科之子也。幼從先生受業，有學行。嘗築汪陂，灌田千頃

，邑長燮理溥化，郡守楊友直，皆加禮敬，有西齋集，藏于家。江西通志藝文略謂：王梁字晴碧，著西爽齋稿，似非一人，待考。見宋元學案及江西通志卷一五一「列傳、撫州府」卷一〇八「藝文略、集部二、別集」。

⒆博士王彰：彰字伯遠，江西林志，又作黃伯遠。金谿人，幼從草廬受業，有學行，登至正辛卯科進士，除國子博士。元亡，歸隱故山。王英嘗作六賢詠，謂葛元喆、劉傑、朱夏、陳介、黃昬及彰也。吳文正集有「靜齋銘，爲學子王章作」，是否一人，待考。見宋元學案及江西通志卷二十五「選舉表、元」卷一五二「列傳、撫州府」，吳文正集卷五十三「靜齋銘」。

⒇州同知夏友蘭：友蘭字幼安，初名九鼎。其先以材武，世長軍籍，戍守崇仁永豐間，後改置樂安，遂家焉。江南內附，父楷，受命鎭守三翼，長百夫。友蘭幼慧敏，自能爲詩。及長，使督家務，精簿書，錢穀出入無敢欺。父卒，家尤饒富。從草廬受業，謙厚文雅，聲譽日盛。大德中，建書院於邑，捐田四五百畝，以贍學者。因先生之介，敦請詹崇樓，掌其敎事。行省薦于朝，三覲仁宗於潛邸。至治三年，奉旨從集賢大學士李孟游。至治四年，仁宗卽位，李孟秉政，授會昌州同知。皇慶元年秋，蒞官始一月，聞旨下賜額護持所創鰲溪書院，亟歸迎拜，至家感疾，十月尋卒，草廬深悼之。見宋元學案及江西通志卷一二五「列傳、撫州府」、吳文正集卷七十四「元將仕郎韶州路同知會昌州夏侯墓誌銘」，卷七十五「樂安夏鎭撫墓誌銘」，卷八十九「祭夏幼安文」。

㉑徵君朱夏：夏字元會，金谿人。幼從草廬受業，先生稱其文，不及古不止。延祐四年，舉於鄉。

濟南張起巖在江南行台，辟爲憲司掾。京兆賀某在相位，薦入史館，皆不就。至正中，縣寇起，竟罹其禍。有鳴陽集行於世。父彥才，嘗官穀城簿。女弟，妻同門吳斐。見宋元學案及江西通志卷二十五「選舉表、元」，卷一〇八「藝文略、集部二、別集」，卷一五二「列傳、撫州府」，吳文正集卷八十二「金谿吳昌文墓碣銘」。

(22)袁明善：明善字誠夫，號樓山，其先南豐人，後徙家臨川。父公壽，有德鄉里，至子孫而不忘。明善八歲喪母，二十喪父。會宋亡，盜起旁近。及寇平返里，鄰舍率蕩然，衆善君父子，故其舍獨全。又有暴徒猝來犯，衆爲殺之。吏部按其事，視以爲害。由是，家雖益貧，而學甚篤。師事草廬，自經史醫藥、刑法日卜，無不精邃。晚年，教授於虞集之家。所著徵賦定考，援引經傳，言井田水利之法甚備，經世之書也，邵庵爲之序。又有大學中庸錄、樓山文集，藏于家。見宋元學案及江西通志卷一〇一、卷一〇三、卷一〇八「藝文略」，卷一二五「列傳、撫州府」、道園學古錄卷四十六「袁仁仲甫墓誌銘」，卷四十四「故翰林學士資善大夫知制誥同修國史臨川吳公行狀」。

(23)教諭黃盅：盅字子中，萬載人，或謂宜春人。少從草廬受業，先生奇其篤志，以子妻之。及歸，題其讀書之所，曰大本堂，後虞邵庵爲之記。至正丁卯（按：爲酉之誤），舉於鄉。二十年，擢庚子科進士，授龍泉縣教諭。見宋元學案及江西通志卷二十五「選舉表、元」，卷一四一「列傳、袁州府」，道園學古錄卷三十八「大本堂記」，卷四十「重書黃子中黃陂堂記後」。

(24)李本：本字伯宗，臨川人。祖榮，至元初，爲行軍令史。宜黃南坑盜起，調兵捕治，議劃地以殲之。榮抗議不可，主兵者大怒，將殺之。榮曰：殺我而活萬命，可也！官兵愧悟，納其議，按兵弗動，以誠諭降，獲其首四人，民賴以安。虞邵庵所謂：臨川李氏，有活人陰德。至其子孫，皆質美業儒，蓋指此也。父伯源，嘗官寧都學正。至順三年，草廬從其子京，就養郡學，伯宗始受業先生，行年三十也。雖未及一年，而先生歿。然進德之道，爲學之要，悉得其奧。自是，取論孟學庸集註章句，句句誦之，字字索之，不敢有所問焉。其於易詩書春秋禮記，則取儒先訓義以通之。循環誦讀，率數月一周。其後專務程氏遺書，晝誦夜維，旁及諸儒之文。參考密究，如是者又數年。故草廬歿後，就學者皆從李氏。本與從弟棟，講明濂洛之學，所居環翠亭、君子堂，虞邵庵爲之記。見宋元學案及江西通志一五二「列傳、撫州府」、道園學古錄卷三十四「送李伯宗序」、卷三十八「環翠亭記」、「君子堂記」。

㉕李棟：棟字伯高，本之從弟也，亦從草廬受業。父季淵，嘗三割股，爲母療疾，鄉人以孝稱焉。見宋元學案及道園學古錄卷三十四「送李伯高序」。

㉖熊本：本字萬卿，一字萬初，臨川人。父紹，進士第。本幼穎悟，經史一覽，輒能成誦，父子自爲師友。年十八，即下帷講授。郡之俊彥，多從之。一時名士，孫轍、熊明來、龍仁夫、揭傒斯皆交相推譽，或折行輩爲忘年交。草廬倡道於崇仁山中，本負笈徒步，從之受業。摘經中所疑七十二條，反覆詰難，先生一一答之。中其肯綮，本爲之喜而不寐。閒論古文尚書，累累數千言，援括精切，文正深嘉之。宋季劉須溪，以文辭名一代，人爭慕之。本獨疑其怪癖，因究原委，質於虞邵庵，文靖器之。自是，以講學摛文爲務，視世之榮利，如煙霞變滅，絕足以溷之。至正癸巳卒，年六十有五。著有讀書記二

十五卷、經問四十卷、讀史衍義若干卷、舊雨集五十卷、朝野詩集五百餘卷、吳山錄四十卷、仁壽錄一百卷。見宋元學案及江西通志卷一五二「列傳、撫州府」、宋文憲公全集卷六「故熊府君墓誌銘」。

㉗待制黃冔：冔字殷士，其先中州人，後復自閩，徙家金谿焉。從草廬受業，博學明經，善屬文，擢翰林待制，兼國史院編修官。至正二十八年，京師破，嘆曰：我以儒致身，累蒙國恩。爲胄子師，代言禁林。今縱不我殺，何面目見天下士乎！遂赴井以殉，年六十一。有黃待制集，行于世。見宋元學案及江西通志卷一〇八「藝文略」，卷一五二「列傳、撫州府」，說學齋稿卷二「金谿黃氏墓記」、元史卷一九六、新元史卷二三三本傳。

㉘通判皮溍：溍字德昭，清江人。少從草廬受業，及長，以父南雄總管，補邵陽縣丞，廉潔有惠政，考滿，歸田。大德十年，嘗觀光京師，後朝廷三召，始超判平江路。消通貨泉，公私便之。草廬以其行前請益，爲文以送之。嘗稱其博記覽、工詩詞，爲儒群之騏驥，吏治之鸞鳳焉。著有德昭詩集，北遊雜詠，皆先生爲之序跋。妻虞氏，邵庵之女弟也。見宋元學案及江西通志卷一〇八「藝文略、集部二、別集」卷一四三「列傳、臨江府」、道園學古錄卷四十三「皮棨維禎墓誌銘」，吳文正集卷十五「皮德昭詩序」，卷三十四「送皮德昭序」，卷四十「尊德性道學問齋記」，卷五十二「皮德昭北遊雜詠跋」，卷六十一「題皮蒙墓誌後」，卷七十二「皮母羅氏墓誌」。

㉙參政貢師泰：師泰字泰甫，宣城人。皇慶二年，侍父奎於江西提學，始見草廬，先生嘗試諸生，師泰第一。自是，從而受業，且深爲器重焉。延祐五年，入國子學。泰定四年，釋褐，擢應奉翰林文字

。除紹興路推官，治行爲諸郡第一。復入翰林，累遷吏部侍郎、禮部尙書、浙江行省參政。改除戶部尙書，分部閩中，召爲秘書卿，行至浙之海寧，得疾而卒。師泰性倜儻，狀貌偉岸，旣以文學知名，而於政事尤長，所至績效輒暴著。尤喜接引後進之賢，不問識與不識，卽加推轂，以故士皆翕然歸之。有玩齋集十卷、拾遺一卷行于世。四庫全書總目提要，評其詩文曰：少承其父奎之家學，又從吳澄受業，與虞集揭傒斯遊，故文章亦具有原本，其在元末，足以淩厲一時。詩格尤爲高雅，虞楊范揭之後，可謂挺然晚秀矣！見宋元學案及玩齋集附錄「年譜」，四庫全書總目提要卷一六八「玩齋集」，元史卷一八七、新元史卷二一二本傳。

(30)承旨危素：素字太樸，金谿人。年十五，卽通五經大義。與同郡曾堅黃昬等，更相策勵。及長，遊於草廬與揭傒斯之門，至文正有相見恨晚之憾。後日書翰往覆，斯獎甚至。凡所著書，多與素參訂之。元時，用大臣薦，授經筵檢討，修宋遼金三史。改國子助教，遷翰林修撰，累擢太常博士，國子監丞、禮部郎中、監察御史、工部侍郎、大司農丞、中書參政、翰林學士承旨。出爲行省左丞，以言事不報，棄官居房山。明師抵燕，淮王監國，起爲承旨，甫至，師入，乃趨所居報恩寺，擬投井以殉，寺僧大梓，力挽之起曰：國史非公莫知，公死是死國史也。乃止。洪武二年，授侍講學士，訪以元代興亡之故，詔撰皇陵碑稱旨，兼宏文館學士，賜小車，免朝謁，時素已七十餘。御史王著，論亡國之臣，不宜列侍從，謫居和州，守宗闕廟，歲餘卒。平生好薦賢，先後所引，若翰林學士劉憲等七十餘人，至通顯者甚衆。著有元海運考一卷、說學齋稿四卷、雲林集二卷、危學士全集十四卷行于世。見宋元學案及江西通志卷一〇三、卷一一二「藝文略」、說學齋稿卷二「夏小正經考序」、吳正傳先生文集卷十八「題危太樸所藏諸卷——吳草廬遺墨」、明史卷二八五本傳。

(31)學士虞集：集字伯生，其先成都人，宋丞相允文之五世孫也。父汲，仕宋爲黃岡尉。宋亡，僑居臨川之崇仁，遂家焉。集三歲卽知讀書，母楊氏，授論語孟子左傳，輒能成誦。及長，從草廬受業。董士選中丞南台，延集於家塾。大德初，始至京師，以大臣薦，授大都路儒學教授。後累遷國子助敎、太常博士、集賢修撰、翰林待制、國子司業、翰林直學士兼國子祭酒、奎章閣侍讀學士。至正八年卒，年七十有七。贈行省參政，謚文靖。早歲以與弟槃，闢書舍爲二，左曰晦庵，右曰邵庵，世遂以邵庵先生稱之。集文章爲一代之冠，論者以唐之韓愈、宋之歐陽修比之。有道園學古錄五十卷行于世。見宋元學案及東山存稿卷六「邵庵先生虞公行狀」，道園學古錄卷四十四「祭吳先生文」，吳文正集卷七「虞采虞集字釋」，四庫全書總目提要卷一六七「道園學古錄」，元史卷一八一、新元史卷二〇六本傳。

(32)承旨元明善：明善字復初，大名清河人。父貢，有學行，累官樞密院照磨。明善少穎悟，讀書過目成誦。董士選聞其名，辟爲行省掾。時草廬講洪序，問以易詩書春秋奧義，歎曰：與吳先生言，如探深淵，遂請執弟子禮終其身。後累遷太子文學、翰林待制、侍講學士、禮部尚書、行省參政、翰林學士承旨。至正二年卒，年五十四，贈行省左丞，謚文敏。明善早以文章自豪，出入秦漢，晚年所造益邃。故草廬以元之韓愈視之，與姚燧並爲一代文宗，有清河集三十九卷行于世。見宋元學案及元朝文類卷六十七「翰林學士元公神道碑」，吳文正集卷十九「元復初文稿序」，卷六十四「元贈中奉大夫吏部尚書護軍清河郡元孝靖公神道碑」，道園學古錄卷四十四「故翰林學士資善大夫知制誥同修國史臨川吳公行狀」，元史卷一八一，新元史卷二〇六本傳。

(33)參政吳當：當字伯尙，草廬之孫也。幼承庭訓，精通經史百家之言。草廬旣歿，四方從遊者，悉就伯尙卒業。以薦由國子助敎，累遷翰林直學士。順帝至元中，江南盜起，大臣有言，伯尙世居江右，習知民俗，且才可任政，遂特授江西廉訪使，復建撫二郡。時參政朵歹，方駐兵於此，忌當屢捷，功在己上，因搆爲誹語，謂當與賊通。詔解兵柄，尋除名。及當平賊功狀，由廣東海道至京，朝廷始知其誣，遂復拜江西參政。命未下，陳友諒已陷江西。遂戴黃冠，服道士服，杜門不出，日以著書爲事。友諒遣人辟之，當以死自誓。拘留江州一年，終不屈。歸隱廬陵之谷坪，所著有周禮纂言、學言詩稿行于世。見宋元學案及元史卷一七一、新元史卷一七〇「吳澄、附傳」。

(乙)宋元學案未列者七十一人

(34)山長徐基：基字仕崇，清江人。早有才名，從草廬受業。元統間，薦授書院山長，有玲瓏窗吟稿行于世。宋元學案未列，見江西通志卷一〇八「藝文略、集部二、別傳」，卷一四三「別傳、臨江府」。

(35)山長康震：震字宗武，泰和人。幼從草廬與劉岳申受業，湖廣行省參政吳當，薦授慶陽州書院山長。秩滿當遷，以親老辭歸。建莊山書院，招學者，館敎之。後以熊天瑞入寇，匿山中不食死，有思治集，藏于家。宋元學案未列，見江西通志卷一四六「列傳、吉安府」。

(36)縣尹虞槃：槃字仲常，元代文學巨擘集之弟也。幼與兄集，俱師事草廬。及長，登延祐五年進士。授吉安永豐縣丞，遷湘鄉州判，所至有政聲。秩滿，除嘉魚縣尹，未及見卒。著有「尚書論」、「詩論」、「春秋論」、「經說」、「古字便覽一卷」、「非非國語三卷」及「虞仲常集」行于世。宋元學案未列，見道園學古錄卷四十三「亡弟嘉魚大夫仲常墓誌銘」，東山存稿卷六「邵庵先生虞公行狀」、吳文正集卷十八「虞氏三子字辭序」，江西通志卷二十五「選舉表、元」，卷一〇一、卷一〇二、卷一〇八「藝文略」，卷一五二「列傳、撫州府」。

(37)陳堯：堯字伯高，有俊才，從草廬受業甚久。先生嘗譽之曰：長於素封之家，而無膏粱紈綺之態。余每日辯論，從旁竊聽，悉能悟解。退而與同輩共論，雖年在其上者，輒爲之屈。戊辰，先生訪友樂安，堯亦從之。惜天曆元年四月十日，以內疽之疾卒，年僅十九，先生深悼之。其妻張氏，新婚始逾半載，亦哀痛而絕。宋元學案未列，見吳文正集卷九「陳堯字伯高說」、卷八十二「陳堯墓誌」及玩齋集卷二「輓陳堯」。

(38)直學士曾堅：堅字子白，南豐人。父祖皆進士，北宋名臣鞏之裔也。故其承也豐，其緒亦遠。及出從元大夫鉅儒遊，篤志力學，其業益進。復從草廬受業，一旦疑難盡釋，故文思大進，奮迅馳騁，皆足以成其志也。至正十年，舉於鄉。十四年，擢甲午科進士。自國子助教，累遷翰林修撰，行省郞官、國子司業，詳定副使、監察御史，終翰林直學士。剛明正直，政多可稱，有曾學士集行于世。唯江西通志，謂其至正十三年癸巳，捷於鄉，似誤。宋元學案未列，見宋文憲公全集卷七「曾學士文集序」、江西通志卷二十五「選舉表、元」，卷一〇八「藝文略、集部二、別集」。

⑽學正黃良孫：良孫，臨江人。父鉞，號雪崖，嘗於宋季，四貢於鄉。良孫以幼承家學，及長，復遊於草廬之門。後以學行，薦授袁州路儒學學正。宋元學案未列，見吳文正集卷四十六「雪崖書堂記」。

⑷吳皐：皐字舜擧，號平齋，宋丞相潛之六世孫也。早年師事草廬，得爲學之要。後以敎授臨川，遂家焉。爲文森嚴有法，著吾吾齋類稿三卷行于世。宋元學案未列，見江西通志卷一〇八「藝文略、集部二、別集」，卷一五二「列傳、撫州府」。

⑿曹貫：貫字伯通，未弱冠，而勤於學，嘗師事草廬者數月，餘待考。宋元學案未列，見吳文正集卷九「曹貫字說」。

⒀右丞王德懋：德懋，高唐人。曾大父謹愿謙和，犯而不校，宗族閭里，咸稱佛子，蓋積善之家也。父祐，贈中順大夫禮部侍郎。草廬在金陵，德懋從之受業。先生嘗譽之曰：資近道，心慕學，深器之。後自憲屬吏，擢江南行台監察御史。會北海㣲民之變。因言之：窮之以兵，未若諭之以理。有司行其言，未用兵，叛民果服而平之。遷燕南河北道廉訪副使，値大饉，上言賑之，賴以全活者三十餘萬。所至有惠愛，稱能吏，後入拜中書右丞。宋元學案未列，見吳文正集卷四十三「善樂堂記」，山東通志卷一六一「人物志十一、歷代循吏、元」。

⒁陳以禮：以禮字景和，崇仁人。幼從草廬受業，及長，先生評其詩曰：不事雕琢，而不庸腐。隨感而發，皆冲淡有味，而近乎自然。父秋塘居士，亦能詩，先生譽之爲，吾里之德人也。宋元學案未列，見吳文正集卷二十三「陳景和詩序」。

⑷⑸進士李岳：岳，河間人，嘗從草廬治周易應擧。延祐四年，先生閱其文，以爲可以擢科矣，遂遣之。次年，果登五年戊午科進士。宋元學案未列，見吳文正集卷二十九「送舒慶南歸序」，卷五十五「跋曾翰改名說」。

⑷⑹州判李路：路，上高人，延祐二年，乙卯科進士，嘗官新昌州判官，爲草廬弟子之一。宋元學案未列，見吳文正集卷七十九「故槐庭居士王君墓誌銘」，江西通志卷二十五「選擧表、元」。

⑷⑺吳景尹：景尹，崇仁人。草廬嘗應其父季德之請，名其所居，曰遠大堂，蓋嘉其志而懋之也。故景尹幼承家學，復遊於草廬之門，其造也邃甚，宜也。宋元學案未列，見佩玉齋類稿卷一「遠大堂說」。

⑷⑻陳徵：徵字明善，廬山人。流寓蘇州時，從草廬受業。務明義理，不慕榮達。一時名儒，如虞集揭傒斯等，咸推重之。宋元學案未列，見江西通志卷一六四「列傳、南康府」、江南通志卷一七二「人物志、流寓、蘇州府」。

⑷⑼山長張鑑：鑑，蘄春人，受業草廬，有學行，後嘗薦授廬陵景星書院山長。父俊太，字元英，自號平里子。平日赴人之急，有甚於己。念人之饑，義不先己後人。衆人曰：使平里子得志，仁其三族，不難也。宋元學案未列，見申齋劉先生文集卷十一「張元英墓誌銘」。

⑸⑽縣尉明安達爾：生平待考，僅知其官樂安縣尉時，與邑人夏友蘭，志同意合，並從草廬受業。宋元學案未列，見吳文正集卷七十四「故將仕郎韶州路同知會昌州事夏侯墓誌銘」。

⑸⑴柳從龍：從龍字雲卿，九江人。志行卓然，及長，受業於草廬之家。闤闠之中，別築精舍，曰精

虛以居之。晨省之暇，飽玩聖賢之學，先生因作「靜虛精舍記」以獎之。宋元學案未列，見江西通志卷一六五「列傳、九江府」。

(52)鄒聖任：聖任，僅知宜黃人，少從草廬受業，餘皆待考。宋元學案未列，見吳文正集卷四「願學齋說」。

(53)山長黃孚：孚字文中，蜀之井研縣人。父申，字酉卿，仕宋爲樂安縣丞。宋亡，拒不署狀，乃携家亡入山中。雖不免於饑寒，猶不忘召草廬以教其子。故孚與其兄賁，及弟蒙、革，俱從先生受業。後孚嘗遊京師，長瑞州西澗書院，草廬皆有序以送之。宋元學案未列，見吳文正集卷二十八「送黃文中赴西澗書院山長序」，卷三十一「送黃文中游京師序」，卷七十二「樂安縣丞黃君墓碣銘」，附錄「年譜」。

(54)黃賁：孚之兄也，見同前引，宋元學案未列。

(55)黃蒙：孚之弟也，見同前引，宋元學案未列。

(56)黃革：革字文炳，亡宋樂安縣丞申之三子也。與兄賁、孚及弟蒙，俱從草廬受業。及長，教授樂安。先生嘗譽其史評講義諸作曰：辭達理長，俱有可采。宋元學案未列，見吳文正集卷五十七「跋黃革講義後」，餘同前引。

(57)黃珏：珏字玉成，臨川人。從草廬受業，先生深器之。蓋以其生長素封之家，而慈良溫恭，蘊然有王謝子弟之風度也。宋元學案未列，見吳文正集卷八「黃珏玉成字說」。

(58)山長吳希顏：希顏字季淵，新安人。往年受知於憲使盧摰處道，勉以進學，遂游於草廬之門。先生告以朱子所以爲學之次第，欣欣然皆能領會於心，而益篤於學。後以學行，薦授紹興和靖書院山長。宋元學案未列，見吳文正集卷三十「贈紹興和靖書院吳季淵序」。

(59)學正李長翁：長翁，疑爲崇仁人。幼從草廬受業，穎悟特異。及長，工詩文，善草書。累歷石城、金谿教諭，所至綽然有聲譽。宋元學案未列，見吳文正集卷十八「李學正小草序」。

(60)史魯：魯字伯誠，汴梁人，嘗師事草廬，餘皆待考。宋元學案未列，見吳文正集卷七「史魯字說」。

(61)鄉擧彭訓：訓字永年，臨川人。幼穎悟，及長，治書經，應進士擧，復游於草廬之門。氣質謹愨，識趣敷暢，先生深器之。至正十三年，擧於鄉。宋元學案未列，見吳文正集卷十「彭訓永年字說」，江西通志卷二十五「選擧表、元」。

(62)張師善：師善，南陽人。爲學有志，雖通朱子詩序，能應進士擧。猶負笈數千里，游於草廬之門。宋元學案未列，見吳文正集卷二十五「贈南陽張師善序」。

(63)畢光祖：光祖字宗遠，汴梁人。父諱敬甫，官于吏部。因僑寓江州，故命其居家以守之。光祖剛直而不苟徇，特立而不妄交。及壯，師事草廬，而篤志於學。先生嘗讚之曰：與語聖賢之道，悠然有所會，欣然有所得。非耳聽面從者，所可倫比。由是，憲府辟爲屬吏，煒然有能聲。宋元學案未列。見吳文正集卷十「畢光祖宗遠字說」，卷三十二「送畢宗遠序」。

(64)姜河：河字道原，覃懷之河內人。生於魯齊之鄉，繻染先正之風。既長，復游於草廬之門，先生深喜之，故字之曰道原。宋元學案未列，見吳文正集卷八「姜河道原字說」。

(65)鄉舉周栖筠：栖筠，其先寧都人，後徙家樂安。嘗從草廬受業，其才高，其忠清，先生雅重之。後娶先生女弟，或由是也。及壯，貢於鄉，長於詩，草廬嘗譽之曰：正而不陳腐，奇至不生硬，不待勞心焦思，天然而成。洎乎晚年，學造乎理，文造乎古，其詩之愈高也固宜。雖因戚誼，頗嫌溢美。然其爲先生所推重，當可概見。宋元學案未列，見吳文正集卷七「劉節劉範字說」，卷二十三「周栖筠詩集序」，卷七十二「鄉貢進士周君墓誌銘」。

(66)饒熙：熙字則明，臨川之名族子也。曾祖時，家富萬卷。乙亥，雖燬于兵。然父睿，最喜讀史，復百般購求。故世以豐於藏書，名于一方。熙幼承家學淵源，書香濡染，及師事草廬，風度益形出衆，故先生雅重之。宋元學案未列，見吳文正集卷二十四「送饒熙序」，卷五十九「跋饒氏先世手澤」。

(67)譚蒙：蒙，僅知其爲宜黃人，嘗師事草廬，先生以俊士許之。宋元學案未列，見吳文正集卷三十一「送樂順序」。

(68)張恒：恒字伯固，河南人，或謂河西人。大德七年，草廬自京還鄉，至揚州，江北淮東道廉訪使趙完澤，以熾暑，強留先生於郡學。因與中山張達、王玠，皆從而受業焉。宋元學案未列，見吳文正集卷七「張恒字說」，及附錄「年譜」、「神道碑」。

(69)張達：宋元學案未列，見同前引，生平待考。

(70)王玠：宋元學案未列，見同前引。唯吳文正集附錄「神道碑」，謂其名玕，似誤。

(71)岳至：至字齊高，東平人，嘗從草廬受業，餘待考。宋元學案未列，見吳文正集卷七「岳至岳呈字說」。

(72)吳琢：琢字玉成，南城人。客遊九江，比草廬至，遂請受業焉。先生奇其才，雅重之。有綱常明鑑行于世。宋元學案未列，見吳文正集卷十「吳琢玉成字說」江西通志卷一〇六「藝文略、子部二」。

(73)路總管徐宗義：宗義，平陽趙城人，陝西行台御史中丞毅之子也。草廬監丞國學，宗義適爲諸生，因得從先生受業焉。後以蔭授登仕，累遷亞中大夫，衢州路總管。宋元學案未列，見吳文正集卷二十三「徐中丞文集序」，金華黃先生文集卷二十七「御史中丞贈資政大夫中書左丞上護軍封平陽郡公謚文靖徐公神道碑」，新元史卷一九五「徐毅」。

(74)胡恭：恭，樂安人。父璉，字仲玉，母鄒氏，恭其仲子也。嘗師事草廬，劬書博記，屢應進士舉。宋元學案未列，見吳文正集卷八十二「樂安胡仲玉墓誌銘」。

(75)樂順：順字德成，宜黃人，儒家子也。幼遇專師，頗得眞傳。及師事草廬以學易，先生深器之。不唯嘗戒之曰：欲學之豐，必以其道，雖能多聞，勿輕于言。且北遊京師時，以好學易，雖未深造，而多能小技，薦之元明善。愛護推許，可謂兼而有之。宋元學案未列，見吳文正集卷二十六「送樂順德成序」，卷三十一「送樂順序」，卷十三「與元復初書」。

(76)徐昭：昭字明可，其先臨川人，後徙家樂安，遂占籍焉。大父通，字泰甫，軒岸倜儻，意氣超群，故門多嘉賓。父儀，字士儀，習進士業，宋亡，不獲試。昭三歲喪母，及長，資穎悟，從師學詩，吟詠可傳。後與從弟尙，俱從草廬受業。泰定三年卒，年四十有四。宋元學案未列，見吳文正集卷八「樂安吳明可墓誌銘」。

(77)徐尙：昭之從弟也。亦從草廬受業，餘皆待考。宋元學案未列，見同前引。

(78)李思溫：思溫，疑爲眞儀人。父謙甫，嘗官浙東宣慰司都事。思溫幼警敏，及長，從草廬受尙書。凡殷盤周誥，悉能暢其義。穎然特出，同儕莫之及。年二十，遊京師，不幸瘦疾以歸。延祐四年卒。年僅二十有四。先生過眞儀，觀其遺窗稿，深以英才早逝而悼之。宋元學案未列，見吳文正集卷五十九「題李思溫擧業稿後」。

(79)掾吏曾塾：樂安人，父煜，字明翁，子男三人。伯曰希，仲曰坦，塾其季也。後希授天長縣教諭，塾從草廬受業，有學行，北游京師，中書辟充侍儀司屬。宋元學案未列，見吳文正集卷七十八「故曾明翁墓誌銘」。

(80)曾欽：僅知其爲樂安人，與叔塾，並從草廬受業，餘皆待考。宋元學案未列，見同前引。

(81)吳擧：擧，金谿之吳塘人。父恩，字德勤，男女凡六，擧其長也。擧嘗師事草廬，餘皆待考。宋元學案未列，見吳文正集卷八十一「金谿吳德勤墓誌銘」。

(82)王元福：元福，吉水之盧溪人。父思恭，字敬甫，積善之家也。及長，客遊京師，從草廬受業，文雅俊秀，先生以佳士目之。宋元學案未列，見吳文正集卷七十九「故槐庭王居士墓誌銘」。

⑻州同知黃常：僅知其從草廬受業，有學行，後嘗官來陽州同知，餘皆待考。宋元學案未列，見吳文正集卷七十八「故曾明翁墓誌銘」。

⒁羅淳老：淳老字叔厚，以父潛心，嘗與草廬同講學於宜川吳氏，因得從先生受業焉。宋元學案未列，見吳文正集卷九十三「贈羅叔厚并序」。

⒂蕭泉：僅知其爲樂安人，嘗游於草廬之門。宋元學案未列，見吳文正集卷七十八「故曾明翁墓誌銘」。

⒃監察御史郝文：文字仲明。元貞元年八月，草廬遊豫章西山。時仲明方任江西湖東道肅政廉訪司經歷，慕先生德業，遂迎館於郡學，請學易，而師事之。自是，於易學，用功日勤，其造亦精。大德戊戌，程鉅夫歸自閩海道廉訪使，與草廬論易學，先生嘗薦譽之，後擢監察御史。虞邵庵所撰先生行狀，謂郝名文中，疑爲傳抄之誤，蓋碑譜誌諸篇皆稱名文也。宋元學案未列，見吳文正集附錄「年譜」、「神道碑」，程雪樓集卷二十四「跋郝仲明御史自敍」，道園學古錄卷四十四「故翰林學士資善大夫知制誥同修國史臨川吳公行狀」。

⒄鄒志道：僅知其爲宜黃人，嘗從草廬受業。至元二十五年，先生敎授宜黃之明新堂。會屬境有驚，遂奉游太夫人，避寓其舊廬。宋元學案未列，見吳文正附錄「年譜」。

⒅史師魯：師魯字恪愿，其先魯人也。後家汴梁，金季復徙居於燕。父振之，以嘗官江西催茶提領，故師魯奉母，南寓眞州。會草廬講學於斯，因得從而受業焉。宋元學案未列，見吳文正集卷七十二「

史振之墓誌銘」。

(89)吳斐：斐字昌文，金谿人。泰定二年，試補國子生。時草廬方主經筵在京師，斐以鄉里故，因得從而受業焉。天資純厚精敏，通進士業。字師趙子昂，宛然得其風緻。作近體詩，亦溫雅華麗。故草廬視若子侄，甚器之。惜泰定三年，謁告歸省，七月丁卯，卒於富陽近郊旅次。年僅二十有六，先生痛悼之。父晉卿，母陳氏，娶穀城簿朱彥才之女。宋元學案未列，見吳文正集卷八十三「金谿吳昌文墓誌銘」。

(90)曾仁：僅知其師事草廬者有年，且特爲器愛。蓋先生將卒，嘗召諭之曰：生死常事，可須使吾子孫知之。宋元學案未列，見吳文正集附錄「年譜」。

(91)台掾王思恭：思恭字士溫，中書參政王結儀伯之子也。其先定與人，大父時，始徙家中山。草廬監丞國學，思恭適爲諸生，因從先生受業焉。其質粹美，行亦醇謹，毫無貴游驕縱之態，故草廬雅重之。延祐五年，官江南行御台掾。宋元學案未列，見吳文正集卷三十二「贈王士溫序」。

(92)王寅叔：寅叔字子淸，其先汴梁人，後徙家金陵。父君祥，早逝。寅叔旣長，唯事讀書爲學，不事生產，遂致家道日浸。奉母命整飭之，增田數十頃。由是，聲譽日起，賢士大夫，亦輒踵其門而友之。性豁達。喜賙恤。隆冬積雪，恒散衣物木炭，委貧者之門而去。皇慶元年，草廬以國子司業謝歸，道出金陵，寅叔迎館先生於家，師事而受業焉。時寅叔四十有四，復家貲豐饒，猶不忘尊師力學，可謂特見卓識者也。咸淳五年己巳六月十七日生，皇慶二年癸丑十月十七日卒，年四十有五。宋元學案未列，見吳文正集卷七十六「故金陵逸士寅叔王君墓誌銘」。

(93)方某：生平待考。以草廬嘗稱之曰生，復戒之謂：恩義有所奪，而無所兼隆，此理也，亦禮也。故方某亦係先生門人之一。宋元學案未列，見吳文正集卷六十二「題遺方生」。

(94)吳任：任，崇仁之青雲鄉人。其先世居盱江，後因主簿崇仁，婿于鄉，遂家焉。故任以鄉里子，得游草廬之門。宋元學案未列，見吳文正集卷八十六「故處士季德吳君墓誌銘」。

(95)徐鑑：鑑字則用，清江人，師事草廬有年，後嘗北遊，先生有序以送之，餘皆待考。宋元學案未列，見申齋劉先生文集卷四「答吳草廬書」，吳文正集卷二十五「送徐則用北上序」。

(96)王進德：進德字仁甫，其先汴梁人，後徙家金陵。少孤，奉母至孝。及長，娶于氏。勤苦自植，家遂饒富。後郡學燬于火，乃出資七萬餘緡，構講堂，置一切禮器。又買舍一區，地臨秦淮，林竹修茂，割田九頃，創建義學。後泰定元年，賜額江東書院，設官以掌其教。更修城隍，以霑井里。置義莊，而贍族人。天曆二年五月二十九日卒，年八十有四。嘗師事草廬，而長先生四歲。逮延祐五年春，草廬除集賢直學士，奉詔入京，至眞儀，疾不克行，遂寓於其義塾者數月。觀進德一生，年長家饒，而能尊師力學。刻苦致富，而不吝於財貨，可謂奇士也。宋元學案未列，見道園學古錄卷四十四「故翰林學士資善大夫知制誥同修國史臨川吳公行狀」、吳文正集卷八十五「金陵王居士墓誌銘」，江南通志卷一五七「人物志、孝義、江寧府」，古今圖書集成卷六五七「江寧府、學校考」。

(97)王子霖：子霖，金陵人，與父進德，並從草廬受業。宋元學案未列。見吳文正集卷七十八「故王夫人于氏墓誌銘」，卷八十五「金陵王居士墓誌銘」。

(98)大學士周伯琦：伯琦字伯溫，其先汝南人，後徙家鄱陽，遂占籍焉。大父垕，宋咸淳進士。父應極，仕元累官翰林集賢待制，終池州路同知總管府事。伯琦年十五，補國子生，先後受業於吳草廬、鄧文原、虞集等大儒。泰定二年，自蔭授南海縣主簿，累遷國史院編修，崇文閣鑒書博士，僉廉訪司事、兵部侍郎、江東肅政廉訪使、江浙行省左丞，江南行台侍御史，後以榮祿大夫集賢大學士致仕。洪武二年卒，享年七十有二。一生著作頗豐，計有說文字原一卷、六書正僞六卷、官箴一卷、近光集三卷、扈從集一卷及通鑑總類，宋鑑續編。四庫全書總目提要評其詩文曰：近光集，述朝廷典制爲多，可以備掌故。扈從詩中，記邊塞聞見爲詳，可以考風土。而文章淵博，亦足資摹寫，爲後世法。宋元學案未列，見宋文憲公全集卷三十一「元故資政大夫江西行御台侍御史周府君墓誌銘」，江西通志卷一〇一、卷一〇二、卷一〇八「藝文略」，四庫全書總目提要卷一六七「近光集，元史卷一八七、新元史卷二一二本傳。

(99)王章：生平待考，僅知草廬稱之曰生，並爲撰「靜齋銘」以勉之。疑卽王彰，亦卽黃伯遠也。宋元學案未列，見吳文正集卷五十三「靜齋銘」。

(100)鄭世忠：世忠，樂安人。父松，字特立，有學行，累貢於鄉，三試禮部不售，中年與草廬友善。會江南初附，盜賊蠭起，乃結廬布水谷，召先生共避之。草廬寓此者三載，著述論道之暇，當教其子。故世忠及其弟敎忠、保忠，似俱從先生受業。宋元學案未列，見吳文正集卷七十四「故鄉貢進士鄭君墓碣銘」，江西通志卷一五二「列傳、撫州府」，道園學古錄卷四十四「故翰林學士資善大夫知制誥同修國史臨川吳公行狀」。

(101)鄭敎忠：宋元學案未列，見同前引。

(102)鄭保忠：宋元學案未列，見同前引。

(103)章揖：揖，宋丞相抗山章公之從孫也。學甚充，詩甚工。草廬在洪，來游洪庠。歲晚言歸，頗惜其去。故似嘗師事草廬，爲其弟子之一。見吳文正集卷二十六「送章揖序」，附錄「年譜」。

(104)王遠：生平待考，因草廬稱之爲舊學者，請序其所繕之孫履常文集，故疑其亦先生之門人。見吳文正集卷二十二「孫履常文集序」。

第五章　施教之法與爲學之道考

兼論其對教育之貢獻及影響

一、施教之法

至其爲教也，立四條教法，曰經學，曰行實，曰文藝，曰治事。

元史紀事本末卷八「科舉學校之制」：「以澄爲司業，澄用宋程頤學校奏議、胡瑗六學教法、朱熹學校貢舉私議，約爲教法四條：一曰經學、二曰行實、三曰文藝、四曰治事。」

按四條教法，爲先生司業國學時所定。雖同列反對，未及行而謝去。然其平日教人，亦當如是焉。

授諸經傳註及程朱性理之學，以爲義理之本。

吳文正集附錄「年譜」：「一曰經學：易詩書、儀禮、周禮、禮記、大戴記附、春秋三傳附。右諸經，各專一經，並須熟讀經文，旁通諸家講說義理，度數明白分曉。凡治經者，要兼通小學書及四書。」

道園學古錄卷五「送李擴序」：「於是，先生之爲教也，辯傳註之得失，而達群經之會同。通儒先之戶牖，以極先聖之閫奧……。察天人之際，以知經綸之本。」

講星象曆數、刑名吏事及百家之言，以爲臨政之具。

吳文正集附錄「年譜」：「四曰治事：選事、食貨、儀禮、算法、吏文、星曆、水利，各於所習，讀通典、刑統、算經諸書。」

道園學古錄卷五「送李擴序」：「禮樂制作之具，政刑因革之文，考據援引，博極古今。」

重德行，以期潤身而勵俗。

吳文正集附錄「年譜」：「二曰行實：孝於父母，弟在家弟於兄，在外弟於長。和睦於宗族，婣和於外姓之親。任厚於朋友，恤仁於鄉里，以及衆人。」

吳文正集卷二十八「贈李教諭赴石城任序」：「人之一身，內有父母兄弟夫婦，外而宗族姻親朋友。近而鄉黨，遠而四方。推吾愛親敬長之良知良能，以達乎彼，何莫非吾之所當厚善者！寧厚勿薄，寧過勿不及。如是經豈有不明，行豈有不修者哉？非有甚高難行之事也，人病不爲耳。」

尚文藝，裨之藻身而華國。

吳文正集附錄「年譜」：「三曰文藝，古詩文。」

因材施教。

道園學古錄卷四十四「故翰林學士資善大夫知制誥同修國史臨川吳公行狀」：「因其才質之高下，聞見之淺深，而開導誘掖之。」「各以其所欲而求之，各以其能而受之，蓋不齊也。」

寬猛相濟。

道園學古錄卷四十四「故翰林學士資善大夫知制誥同修國史臨川吳公行狀」：「至若厲如秋霜，煦如春日……。比之求於言語文字之微者，其感化疾矣！」

宋文憲公集卷三十九「國朝名臣序頌、吳文正公澄」：「於道早知，厲如秋霜。煦如春陽，何德之昌。」

朱陸兼出。

四庫全書總目提要卷二十八「春秋纂言十二卷、總例一卷」：「元吳澄撰……，蓋澄之學派，兼出金谿（按：陸象山）新安（按：朱晦翁）之間。」

宋元學案卷九十二「草廬學案」：「祖望案，草廬出於雙峰，固朱學也。其後亦兼主陸學，蓋草廬又師程氏紹開，程氏常築道一書院，思和會兩家。然草廬之著書，則終近乎朱。」

道園學古錄卷四十四「故翰林學士資善大夫知制誥同修國史臨川吳公行狀」：「蓋先生嘗爲學者言，朱子道問學之工夫多，陸子靜卻以尊德性爲主。問學不本於德性，則其弊偏於言語訓詁之末，果如陸子靜所言矣！今學者當以尊德性爲本，庶幾得之。」

按草廬之思想，既兼出陸朱，故出講學也，自然亦二家幷用兼施也。

誨人不倦。

中齋劉先生文集卷十二「祭草廬先生吳公文」：「皇元肇興，先生特起……。其善教不倦，與後出如同袍。」

朝講夕授，寒暑不輟。

道園學古錄卷四十四「故翰林學士資善大夫知制誥同修國史臨川吳公行狀」：「講論不倦，每至夜分，寒暑不廢。」

吳文正集附錄「神道碑」：「至大元年，以從仕郎國子監丞召，修許文正公之教，日講於公，夕講於次，寒暑不懈。」

雖偶病，亦必強起講論，未嘗稍爲之間廢。

道園學古錄卷四十四「故翰林學士資善大夫知制誥同修國史臨川吳公行狀」：「二年（按：至順），其第三子京，爲撫州路儒學敎授，迎先生至城府，學者無不得見，進而敎之，靡間晨夕。雖偶病少間，未嘗輟其問答。居久之，則又問明善曰：得無有未見者乎？」

吳文正集附錄「神道碑」：「明年（按：泰定三年），詔賜楮幣五千緡……。四方學者日衆，公雖疾，必強起敎之。」

復氣融神邁，煦和凝重。

元史卷一七一「吳澄」：「澄若身不勝衣，正坐拱手，氣融神邁，答問亹亹，使人渙若冰釋。」

元朝文類卷三十五「吳幼清先生南歸序」：「其氣淵朗而和粹，其學正大而明溥。澮然怡然，游心於詩書之苑。」

吳文正集附錄「年譜」：「時董忠宣公士選，任江西行省左丞……，顧元公曰：吳先生德容嚴厲，而不知其和，吾平生未之見也。」

道園學古錄卷四十四「故翰林學士資善大夫知制誥同修國史臨川吳公行狀」：「先生旦秉燭堂上，諸生以次受業，晝退堂，後寓舍，則執經者，隨而請問。先生懇懇循循，其言明白痛切。」

循循善誘。

辭懇意切。

道園學古錄卷四十四「故翰林學士資善大夫知制誥同修國史臨川吳公行狀」：「翰林學士吳澄，心正而量遠，氣充而神和……。正學眞傳，深造自得……。前當講說剴切，溫潤完厚……。經學之師，當代寡二。」

傾己而授。

中齋劉先生文集卷四「答吳草廬書」：「每遇學者，無不傾倒至盡。」

若江河之一瀉千里。

道園學古錄卷四十四「故翰林學士資善大夫知制誥同修國史臨川吳公行狀」：「論說如江河之淵源，沾溉若雲雨之敷沛。」

間有資力較弱者，則百般譬說，惟恐己意之未明未盡。

中齋劉先生文集卷十二「祭草廬先生吳公文」：「皇元肇興，先生特起……。望古人以汲汲，遇不知者而囂囂。」

中齋劉先生文集卷四「答吳草廬書」：「尤凡下者，尤反覆嗟譬，至再四不厭，但恐己意，如有不明不盡。」

而負笈千里，來歸門下者，輒給衣食，館之於家，俾得不以膏火弗繼，而墜其業。

吳文正集附錄「神道碑」：「四方學者日衆，公……又衣食之，故學者多至卒業而後去。」

故學者，尊其學，服其教，心悅誠服，如飲醇醲。

道園學古錄卷四十四「故翰林學士資善大夫知制誥同修國史臨川吳公行狀」：「親者如劍之就礪。薰陶者，如飲之得醇。望之而心服，即之而氣融。」

凡經作育，無不表表乎鄉國之間。

宋文憲公全集卷六「故熊府君墓誌銘」：「夫自吳公纘承伊洛之緒，將墜之餘……，所以化導其徒者，多成德達材，固而用世，因而顯融於時。其有隱於州里，橫經陳義，使人厲士君子之行者，亦往往有焉……。嗚呼！師道立，則善人多。」

吳文正集附錄「神道碑」：「六館諸生……，有不謁告，從之南者。居數年，然後歸。歸皆取高科，爲名士。」

二、爲學之道

更著學統學基，以示學者，進學之道。

道園學古錄卷四十四「故翰林學士資善大夫知制誥同修國史臨川吳公行狀」：「乃著學基一篇，使知德之當尊。著學統一篇，使知問道之當道。所謂窮鄉晚進，無良師友，而有志於學者，循此而學，庶乎其不差矣！」

以爲治學之目的，在於變化氣質。

吳文正集卷二「答人問性理」：「此理，在天地則元亨利貞是也。在人而爲性，則仁義禮智是也。性卽天理，豈有不善！但人之生也，受氣於父母之時，既有或清或濁之不同……。則一旦氣質不清不美者，其本性不免有所汚壞。故學者當用反之功，善反之，則天地之性存焉！氣質之用小，學問之功大，能學氣質可變，而不能汚壞。」

達己澤人。

吳文正集卷十一「復董中丞書」：「澄聞學者，非以求知於人也，欲其德業有於身而已矣！仕者非以自榮其身也，欲其恩澤及於人而已矣！」

造福天下。

吳文正集卷十二「與程侍御書」：「竭吾誠，輸吾所學，有能用之，天下被其福，則君子之志願得矣！」

非徒口誦聖賢之言也已。

吳文正集卷四十二「卷舒堂記」：「雖手不停披，口不絕吟，一日百千卷，書自書，我自我，讀之終身，猶夫人也，而何益焉！不唯無益也……，長其驕，長其傲，長其妄誕……，靡不由書之祟，彼之胸中無一字者，或不如是也。」

故宜先小學，以洒掃應對之敎，而致諸明倫敬身。再繼之以大學，由誠正格致之功，進而達於窮理治平之境。

吳文正集卷三十「贈成大用序」：「予告之曰：易在我不在書也。堅子之志，充子之才，斂藏其精神，專一其智慮。先之以小學之明倫敬身，繼之以大學之窮理愼獨。夫如是可以爲士矣！由是而希賢焉，希聖焉，所謂進德修業，所謂直內方外，勉勉循而不已。易之道，有不具備於我者乎！」

宋元學案卷九十二「草廬精語」：「學者來此講問，每先令其主一持敬，以尊德性。然後令其讀書窮理，以道問學。有數條自警省之語，又揀擇數件書，以開學者格致之端。是蓋先反之吾心，而後求之五經也。」

主一持敬，以尊德性爲之始。

元史卷一七一「吳澄」：「又嘗爲學者言：朱子之道問學之功居多，而陸子靜以尊德性爲主。問學不本於德性，則其弊必偏於言語訓釋之末。故學者必以德爲主，庶幾得之。」

明乎義理，存此天心，以踐乎實爲之終。

宋元學案卷九十二「草廬精語」：「所貴乎讀書者，欲其以聖賢之言，以明此理，存此心而已。

此心之不存，此理之不明，而口聖賢之言，其與街談巷議，塗歌俚謠等之爲無益。」

蓋修德，貴乎力行。

吳文正集卷二十八「贈李敎諭赴石城任序」：「人之一身，內有父母兄弟，外有宗族姻親朋友……。推吾愛親敬長之良知良能，以達乎彼，何莫非吾之所當厚善者……。如是經豈有不明，行豈有不修哉！非有甚高難行之事也，人病不爲耳！」

吳文正集卷二十五「贈學錄陳華瑞序」：「讀四書有法……，必究竟其理，而有實悟；非徒誦習文句而已，必敦謹其行，而有實踐。非徒出入口耳而已。」

治學，戒在怠忽也。

道園學古錄卷四十四「故翰林學士資善大夫知制誥臨川吳公行狀」：「先生旦秉燭堂上，諸生以次受業……，使其刻意研窮，以究乎精密之蘊。」

吳文正集卷二十八「贈李敎諭赴石城任序」：「古聖遺經，先儒俱有成說……。虛心以玩其辭，反身以驗其實，博覽而歸諸約，傍通而貫于一。一旦豁然有悟，則所得者，非止古人之糟粕也。」

吳文正集卷九十四「勉學吟」：「三十年前好用功，爲師不過發其蒙。十分底蘊從人說，百倍工夫自己充。舊學要加新學養，今朝不與昨朝同。拳拳相勉無他意，三十年前好用功。」

故立志，務期諸遠大。用功，必由乎近小。

吳文正集卷八「姜河道原字說」：「學者之道，其立志當極乎遠大，而用功必循夫近小。遠大者何？究其原也。近小者何？有其漸也。漸者，自流溯遠，而不遽以探原爲務也。」

要正其義，而不謀其利；明其義，而不計其功。

吳文正集卷三十「贈成大用序」：「古之學，正其義而不謀其利，明其道而不計其功。苟道義蘊積其中，豈有無功不利之道義哉！」

愼獨以誠意，精究止格物。

吳文正集卷二十五「贈學錄陳華瑞序」：「朱子嘗謂大學有二關，格物者，夢覺之關。誠意者，人獸之關。實悟爲格，實踐爲誠。物既格者，醒夢而爲覺。……意既誠者，轉獸而爲人……。物之格，在精研。意之誠，在愼獨。苟如是，始可爲眞儒，可以範俗，可以垂世，百代之師也。」

謹畏以養敬，主一無慢以攝心。

吳文正集卷八「朱肅字說」：「先儒以敬爲攝心之具，作聖之基淵矣。唯朱門黃直卿先生，謂敬字之義，近於畏者，最切於己。」

吳文正集卷十「陳幼德思敬字說」：「仁義禮智之得於天者，謂之德，先德也。雖同得於有生之初，而或失於有生之後。能得其所得而不失也，君子也。蓋能具於心者也，欲不失其心，豈有他術哉？敬以待之而已矣。……至程子，遂以敬字，賅聖功之始終。敬之法，主一無適也……。當由敬畏入……。事事知所謹，而於有不當爲者，有不肯爲。念念知所畏，而於不當爲者，有不敢爲。」

遠私慾，存天理。

吳文正集卷八「朱肅字說」：「凡一念之發，必思之曰：此天理歟？抑人欲也？苟人欲而非天理，則不敢爲。惴惴儆愼，無或慢忽之心，其爲敬之也。」

吳文正集卷二十八「贈南陽張師善序」：「予嘗聞，在聖賢之所以爲學者矣！必明人倫，究物理。必去私欲，存本心，使一身有主，而處事曲當如斯而矣！」

戒躐等，勿近利。

吳文正集卷三十一「送樂順序」：「果誠有意於學歟！則有其道，循序漸進，毋躐等，毋陵節，行遠自邇，升高自卑。及其深造而自得，則視世俗之圖大成，徼近利者，相去萬萬矣！」

存誠去僞。

吳文正集卷三十一「送樂順序」：「古之學者，切己而務實，非以罔世而取名也。姑欲其所難，以稱號於人，不幾於僞乎！夫誠而學，學而不得者有矣。未有學之以僞，而可得者也。」

日反省察。

宋元學案卷九十二「草廬精語」：「昔趙清獻公，日中所爲，夜必告天。司馬文正公平生所爲，皆可語人。如欲日新乎？每日省之，事之可以告天，可以語人者爲是；其不可告天語人者爲非。非者速改，昨日之非，今日不復非爲也。日日而省之，日日而改之，是謂日日新，又日新。」

驗諸行事。

吳文正集卷十七「象山先生語錄序」：「道之在天地間，今古如一，人人同得。智愚賢不肖豐嗇焉，能反之於身，則知天之與我固有之，不待外求也。擴而充之，不待增益也；先生之教人，蓋以是，豈不至簡至易而切實哉！不求諸我之身，而求諸人之言，此先生深憫也。」

吳文正集卷二十八「贈李教諭赴石城任序」：「古聖遺經，先儒俱有成說……。虛心以玩其辭，反身以驗其實。」

以明義理。

吳文正集卷四十二「卷舒堂記」：「書之所載，果何言歟？理也，義也。理義也者，吾心所固有，聖賢先得之，而寓之於書者也。善讀而有得，則書之所言，皆吾之所得，不待外求也。」

而利實踐。

吳文正集卷三十「贈成大用序」：「所謂進德修業，所謂直內方外，勉勉循循而不已……。蓋得之心，踐於身者上也……聒聒於口耳，而姑以爲名焉，下而已。」

吳文正集卷十一「復董中丞書」：「聖賢之學，得之於心爲實德；行之於身爲實行；見之日用，施之家國，爲實事業。」

務期學者，於日用常行之中，有所依據。

道園學古錄卷四十四「故翰林學士資善大夫知制誥同修國史臨川吳公行狀」：「博極古今，各得其當。而非跨多以穿鑿，靈明通變，不滯於物，而未嘗析事理爲二，使學者有所依據。」

吳文正集卷三十一「送樂順序」：「昔夫子所以教門弟子，無非日用常行之事，使之謹勑於辭色容貌之間，敦篤於孝弟忠信之行。」

吳文正集卷八「姜河道原字說一」：「聖門教人，自庸言庸行之常，至一事一物之微，諄切乎實，不嘗輕以道之大原示人也。」

道園學古錄卷四十四「故翰林學士資善大夫知制誥同修國史臨川吳公行狀」：「反身克治，以踐以踐乎進修之實，而歸宿於造詣之極。

道園學古錄卷五「送李擴序」：「吳先生……未嘗析事理爲二……，以爲日用常行之地，得有所標指，以爲歸宿造詣之極。」

三、對教育之貢獻與影響

元代教育，大抵踵魯齋之遺規。

道園學古錄卷五「送李擴序」：「文正歿，國子監始立……。其爲之者，大抵踵襲文正之成跡而已。」

唯時日既久，遂致寖失其舊。

道園學古錄卷四十四「故翰林學士資善大夫知制誥同修國史臨川吳公行狀」：「先是世祖帝，初命許文正公，自中書出爲祭酒，文正始以所得朱子小學，躬奪信之，以訓授弟子。繼之者，多其門人，猶能守其法，久之，寖失其舊。」

馴至學者，因循度日，日就荒廢嗜利。

道園學古錄卷四十四「故翰林學士資善大夫知制誥同修國史臨川吳公行狀」：「先生旣至，深憫學者之日就荒廢，徒從事於利誘。」

不徒無力振疲起衰，卽英發者，亦輒因學風之影響，不見成效。

道園學古錄卷五「送李擴序」：「鄧文原善之，以司業召至……，其言曰：今皇上責成成均至切也，而因循度日，不惟疲庸者無所勸，而英俊者，摧敗無以見成效。」

按草廬北上之始，及邵庵之在國學，頗受排擠。兼以二人學出朱陸，亦與北方學者，不盡相同。終致草廬拂袖而去，邵庵亦無法立足而謝歸。故虞道園所論，或謂不無急灉之嫌。然證諸鄧文原之說，學風日弊，非道園之妄汚也。且據新元史卷二〇八「王思誠傳」：「召修遼金宋三史，調秘書監（按：至正三年）；會國子監諸生，因事鬨於學，復命思誠爲司業。思誠黜爲首者五人，罰而降齋者七十人。」復據續通鑑卷二〇八「元紀二十六」：「至正元年……，在監諸生，日啖籠炊粉羹，一人之食，爲鈔五兩，而十百爲群，恬嬉翫愒，以嫚侮嘲謔相尙。或入茶酒肆，則施屏風以隔市人，飲罷不償値，掉臂而出，莫敢誰何。」是中晚學風之弊，與日俱增也。

故草廬思有以作新其人，遂議立四條教法，欲改革於前。

元史卷一七一「吳澄」：「皇慶元年遷司業，爲教法四條。一曰經學、二曰行實、三曰文藝、四曰治事。」

逮鄧文原司業國學，復擬更新於後。

道園學古錄卷五「送李擴序」：「善之請改教法……，議不合，亦投劾去。於是紛紛言吳先生不可，鄧司業去而投劾爲矯激，而僕之謗尤甚，悲哉！」

元史卷二〇六「鄧文原」：「皇慶元年，召除國子司業，建議更改學校法，與執政意不合，移病去。」

蓋時轉世移，更新教法，實勢所必然。卽起魯齋於地下，亦未必悉如其舊焉。

道園學古錄卷五「送李擴序」：「余觀其遺書，文正之與聖賢之道……，所志甚遠重焉。其門人之所得於文正者，猶不足以盡文正之心也……。故使文正復生於今日……，未必止如前日之法也。」

後草廬之改革，雖未克實現，但其平日教人，自當如是。兼之其門人，散處四方，皆横經著述，師教鄉里，必能祖述師訓，宏揚其法。

散見前引。按草廬之爲教也，主治經，其旨在於明義理。而明義理之目的，在於修德行實之本。復授興衰之因，刑政之由，以爲學者從政之工具；故其教法，悉合所謂四條教法也。其門人受其薰陶，亦必如是。

而先生之在國學也，不唯六館諸生，皆知所趨向，卽四方學者，一時士風，亦無不爲興起丕變。故其對教育之貢獻及影響，殊非淺鮮焉。

道園學古錄卷四十四「故翰林學士資善大夫知制誥同修國史臨川吳公行狀」：「吳先生……思有以作新之；於是六館諸生，知所趨向……。一時游觀之彥，雖不在弟子員者，亦皆有所觀感，而興起矣！」

吳文正集附錄「神道碑」：「雖事上之日晚，而得以聖賢之學，爲四方學者之依歸，爲聖天子致明道敷教之實，故其及也深。」

第六章　人品風範之評述

一、事親待人

草廬事親至孝。

道園學古錄卷四十四「故翰林學士資善大夫知制誥同修國史臨川吳公行狀」：「二十三年，程文憲公奉詔起逸遺於江南，至撫州，強起先生，以母老辭。程公曰：燕翼中原，可無一觀乎？母夫人許其行，與程公同如京師。既至，程公猶薦先生，不令其知，先生覺其意，力以母老辭。」

一生行事，率以經義爲本。

道園學古錄卷四十四「故翰林學士資善大夫知制誥同修國史臨川吳公行狀」：「董忠宣公士選，任江西行省左丞，因文敏（按：元明善）得見先生於館塾，以爲平生所見士，未有德容辭氣，援據經傳，如先生者。」

故於財物，若取之傷義，雖一介不取。

草廬集卷六「王謙道惠茶惠墨不受次韻酬之」：「不受東風不惹塵，清都瑤草一庭春。睚情牢落無魔到，閒卻扣門傳信人。」

即朝廷賞賜，亦婉言却之。

吳文正集卷十二「回曹子貞尚書書」：「澄於別後，嘗一附書……。因謙來，辱惠教言，把翫嘉如面覿。澄老病……尸位竊祿，內省已劇，羞愧退後，又荷朝廷厚恩……。然揆之分義，非所敢當。是以拜表闕庭，具呈政府，致懇辭之誠。子貞相知之，望於當路一語，倘得勉從區區所請，則心安矣！表稿及呈省公文抄錄，見至，幸一過目，爲澄審處之。」

按元史卷一七一「吳澄」謂：「吳澄國之老臣，朝之舊德，今請老而歸，不忍重勞之，宜有以褒獎。詔加資善大夫，仍以金織文綺二及鈔五千貫賜之。」

與人交，氣和神凝，莊而不厲。

元史卷一七一「吳澄」：「澄身若不勝衣，正坐拱手，氣融神邁。」

吳文正集附錄「年譜」：「如龍興，時董忠宣公士選，任江西行省左丞，元文敏公，其客也，辟爲掾，以敎其子。公執謁於其館，董公聞之，親饋食中堂，頗問經義治道，顧元公曰：吳先生德容嚴厲而不失其和，吾平生未之見也。」

急人之急。

申齋劉先生文集卷一「贈虞孟修序」：「江州務使虞孟修，今奎章閣侍讀學士伯生之母兄也。孟修以父澤，奉徽徵商莞庫輸賦京師……。及來江州，以年飢師興，商旅不行，官督虧課如實，負之孟修，在繫彌年。賢太守狄信，憐而脫之，俾歸乞貸以償。翰林學士臨川吳公，爲書四方故人，以成賢太守之美。四方聞之曰：賢哉大守，賢哉吳公。」

不褒諛悅，不貶狷嫉。

中齋劉先生文集卷十二「祭草廬先生吳公文」：「不狷嫉以爲貶，不諛悅以爲褒。」

尊特立獨行之士。

道園學古錄卷六「吳張高風圖序」：「泰定二年春，翰林學士臨川吳公移疾，假南城天寶宮之別館。宮中之人，因爲先生言其教之因起，與今第九代掌教玄應張眞人之制行堅白也。先生曰：世乃有斯人耶……，求先生爲文……，獨於眞人，欣然命筆。他日病癒，返乎史館，思眞人之爲人，乘輿……即天寶宮而見焉。及門，童子辭曰：眞人深居至靜，自中朝貴人大官至者，未嘗敢以報……。先生顧謂從者曰：是其人，視走高縣簿，唯恐失一夫者，有間矣！即命囘車；不惟不以爲忤，而更歎其不可及。」

新元史卷二一四「眞大道教」：「至張清志……，朝廷重其名，絡繹致之，俾掌教事。清志徒步至京師，深居簡出，人或不識其面，貴人達官來見，率告病，伏臥內，不肯起。」

友貧困而有德者。

吳文正集卷三十三「李季度詩序」：「李季度，吾之異姓兄。博覽強記率眞豪氣。數奇不遇，家貧身賤。發於聲音，往往泄不平之鳴。才贍思敏，所作詩甚富，存者無幾。」

後輩俊彥，輒加獎掖。

吳文正集卷三十一「送左縣尹序」：「貢舉初行，予於校文時，得一士，曰饒扑，新城人，文工行淳，良士也。其明年試禮部，報罷，以特恩側儒學教授選中。予薦之於集賢，充國子助教而未用也。」

道園學古錄卷三十四「送李敬心之永嘉學官序」：「宜黃李君敬心，作石城教諭，建昌學正、常熟教授，皆得故翰林學士臨川吳公之言。其居家作其邑之學，吳公又爲之記。」

吳文正集卷十七「劉鶚詩序」：「有客携廬陵劉鶚詩一卷，予觀之……，凡六體，無一體不中詩人法度，無一字不合詩家聲響……。又知鶚之早慧，年二十已能詩，北走燕趙，南走湖湘等處，廣覽山川風俗，以恢廓其心胸……。鶚字楚奇，與吾諸子之年相先後，今三十有六……，嘉鶚之才，愛之如吾子。」

門人之負笈千里者，輒給以衣食，館之於家。

吳文正集附錄「神道碑」：「四方學者日衆……，又衣食之，故學者多至卒業而後去。」

晚年，雖德望冠絕，然平易近人，學者無不得見而問學。

道園學古錄卷四十四「故翰林學士資善大夫知制誥同修國史臨川吳公行狀」：「三年（按：先生時年八十四），其第三子京，爲撫州路儒學教授，迎先生至城府，學者無不得見者，進而教之，靡間晨夕……。居久之，則又問明善曰：得無有未見者乎？」

若有澤惠鄉里之擧，雖千里必躬襄其事。

吳文正集附錄「年譜」：「二年壬戌，如建康，定王德進所創義塾規制。有司上其事，賜額江東書院，十月還家。」

二、從政治事

一生馳志墳典，山林自適。

元朝文類卷十八「臨川野老自贊」：「自形瘦削，春林獨鶴。眼睛閃爍，秋霄一鶚。遠絕塵滓，大同寥廓。自鳴自和，自歌自樂。」

故視富貴如浮雲，得失既無動於衷。

元朝文類卷三十五「送吳幼清先生南歸序」：「或必其不來，或必其速來（按：指大德四年、翰林文字之命），皆非深知先生者也。居京三月，欲迹治歸，來去容與，若無足動其心者。不矯抗以干名，不奔趨以射利。嗚呼！眞有道士也。」

且每遇在朝，無所施爲之時，毫無戀棧，立卽謝歸。蓋從政，非尸位素食，所以長保其貴盛也。是以，副江西儒學提擧，以官本虛設，徒靡廩祿，在官三月，卽行謝歸。

吳文正集附錄「年譜」：「十年丙午……十月朔，上官……。十一年……二月，就醫富州，寓清都觀……。省憲趣還，公固辭以疾。嘗曰：提擧之官，本爲虛設，徒靡廩粟，故勇於去職。」

司業國學，所定教法，既不能行，即有去意。

吳文正公附錄「年譜」：「四年辛亥，授文林郎、國子司業、癸酉上官……。公……擬定教法，同列欲改爲試行大學積分法。公謂：教之以爭，非良法也。論議不合，遂有去志。」

及生朱陸之辯，遂一夕謝去。

元史卷一七一「吳澄」：「又嘗爲學者言：朱子於道問學之功居多，而陸子靜以尊德性爲主。問學不本於尊性，則其弊必偏於言語訓釋之末。故學必以德性爲本，庶幾得之。議者遂以澄爲陸氏之學，非許氏尊信朱子本意，然亦莫知朱陸之爲何如也。澄一夕謝去，諸生有未謁告，從之南者。」

逮英宗遇弒，原擬刻期南返，以河冰未克果行。

吳文正集附錄「年譜」：「三年（按：至治）癸亥……八月丁卯，上還次南坡崩。十一月晉王入即位，十二月癸酉，逆賊以次伏誅。公亟謀治歸，河凍不可行。」

後雖以修英宗實錄羈留，然實錄既成，即謝病不出，旋辭還鄉里。

元史卷一七一「吳澄」：「會修英宗實錄，命總其事，居數月，實錄成，未上，即移病不出。中書左丞許思敬，奉旨賜宴國史院，仍致朝廷慰留之意。澄宴罷，即出城登舟而去。」

臨事，公正嚴明，所至弊絕風淸。

吳文正集附錄「年譜」：「有直學以錢穀訐其教授者，公曰：直學所竊，教授有所不知。教授所得，直學無不知者，均謂之盜。欺人不知，而恕其可知者，可乎？直學爲教授屬，於義犯上，當先治之。時天寒，其人惶愧汗下，拜謝悟過，告訐者爲之息。」

吳文正集附錄「年譜」：「時未設典簿，廩膳出內（按：納），監丞主之。公會其羨餘，以增食膳，而舊弊悉革。」

剛直敢言，拒爲佛經撰序。

道園學古錄卷四十四「故翰林學士資善大夫知制誥同修國史臨川吳公行狀」：「時詔學士散散，集善書者，粉黃金寫浮圖藏經。有旨，自上都來，使左丞速速，詔先生爲之序。先生曰：主上寫經之意，爲國爲民，甚重事也。但追薦冥福，臣所未知。蓋釋氏因果利害之說，人所喜聞。至言輪迴之事，彼之高者且不談。其意止爲，爲善之人死，則上通高明，其極品，則與日月齊光。爲惡之人死，則下淪汚穢；其極下，則沙蟲同類。其徒遂爲超生薦拔之說，以蠱惑世人。今列聖之神，上同日月，何待子孫薦拔？且國初以來，凡寫經追薦之事，不知其幾。若超拔未效，是無佛法矣。若超拔已效，是誣其祖矣。撰爲文辭，不可以示後世。左丞曰：上命也。先生請俟駕還，復奏之。會上崩，不及奏而止。」

執政議立尙書省，謀鑄錢貨，更鈔法，聚斂以爲功。欲先生一言爲助，然不爲勢屈，鯁直不詔，卒不爲所用。

道園學古錄卷四十四「故翰林學士資善大夫知制誥同修國史臨川吳公行狀」：「時朝廷循習寬厚，好功名者，議立尙書省。改更紛然，新執政鑄錢貨，變鈔法以爲功。欲得先生助己，而恐其不可致，有士請致先生，先生臥病門生家，不可致。乃歸紿其人曰：老儒不善騎，墮馬折臂病矣！」

復以生民爲念。延祐二年，江西經理民田，重增其稅，嘗應鄉民之請，赴龍興爲民請命而未果。

吳文正集附錄「年譜」：「延祐二年乙卯正月，如龍興。時經理田糧，限期嚴迫，使者立法苛刻，務重增民賦，以覬爵賞，郡縣奉行尤虐，民不堪命，群情洶洶。邑父老知公，與部使杜顯祖，在朝廷有交承之誼，請往陳其害。公旣行，使者已趨袁瑞，不及入城而還。」

至治三年入朝，復累言於執政。泰定元年，詔免包銀，且命查核其賦，以便減削，有司因循未行。

道園學古錄卷四十四「故翰林學士資善大夫知制誥同修國史臨川吳公行狀」：「延祐經理民田時，激變贛之寧都。中外騷然。事定，蠲免虛增之稅。唯江西有郡縣舞文之吏，以減削則例爲名，增稅三萬名，不得免。至治初，又行包銀，爲害亦甚。先生在朝，數言於執政者。泰定改元，中書省議便民之事，先生復以二事爲言。詔書始免包銀，且免體覆減削之名，而蠲除其稅，有司因循未行。」

泰定二年，齊履謙宣撫江西，又言之，必期減免而復已。

新元史卷一七〇「吳澄」：「泰定元年，澄白執政，免包銀，獨增稅如故。至是，澄與宣撫副使齊履謙言之，始奏請蠲免。」

滋溪文稿卷九「元故太史院使贈翰林學士齊文懿公神道碑銘」：「泰定二年，選充江西福建道，奉使宣撫江西……。初括江南地時，民或無地輸稅，或地少輸多，日虛加糧，江西尤甚。詔諭憲司覆實蠲免，久弗旋行。公曰：上欲澤加於民，而憲司格之何也！既杖屬吏，俾憲使親行覆實，免糧若干萬石。」

第七章 交遊唱和考

草廬一生，樂育四方，司業國學，待詔禁林，主講經筵。生則德業冠絕一時，卒則配祀宣廟。故名公巨卿，隱逸耆宿之交，當爲數至衆。然確有事跡可考之尤要者，四十一人而已。謹將其生平，以及與草廬交誼之情形分陳如後。

一、情誼篤厚，而爲講友者

(1)虞汲：汲號井齋，蜀之成都人，宋丞相允文之四世孫也。仕宋爲黃岡縣尉，宋亡，僑居撫州之崇仁，遂爲崇仁人。禮義忠厚，鄉人信之。與草廬爲友，朝夕講論。二子集槃，俱從先生受業。家貧，教授里中，有知人之鑒，諸生中，歐陽原功、魯子翬、特爲器重，後果通顯。草廬嘗譽其文清而醇，後以國史院編修致仕。故二人之交，非徒爲鄉誼，且爲講友。情誼之篤，在諸友中，實以井齋爲最。見東山存稿卷六「邵庵先生虞公行狀」、宋元學案卷九十二「草廬學案」、江西通卷一七七「寓賢、撫州府」。

(2)王科：科字子純，撫之樂安人。宋末，貢補國子生。不唯與草廬爲講友，且子粱亦從先生受業。草廬嘗譽之曰：耆儒宿學，如吾子純者，寥寥若星辰。故二人之交，不唯爲講友，屬鄉誼，且爲通家之至交也。見宋元學案卷九十二「草廬學案」、江西通志卷一五「列傳、撫州府」。

(3)熊朋來：朋來字與可，洪之富州人。宋咸淳進士，除寶慶僉判，未仕而國亡。元初，以薦登仕，累歷福州廬陵教授。所至講論經義，考古今篆籀文字，學者化焉。後調建安主簿，不赴，晚以福清州判官致仕。朋來之學，邃于三禮，當時言禮者咸宗之，學者稱天慵先生。至治癸亥卒，年七十有八。所著有小學標注、瑟譜及天慵文集三十卷。草廬所撰墓誌嘗謂：「疇昔與先生講論，不舍晝夜」。故朋來亦先生講友，且爲情誼篤厚之交焉。見吳文正集卷七十一「前進士豫章熊先生墓誌」、江西通志卷一三五「列傳、南昌府」。

二、往還親密，而情誼契厚者

(4)程鉅夫：鉅夫，名文海，避武宗諱，以字行。其先徽州人，後累遷，始家建昌。宋德祐元年，鉅夫叔父飛卿，以軍器監知建昌迎降。遂入爲質子，授宣武將軍管軍千戶。世祖召見，以爲所授非宜，特命改值翰林。自翰林應奉字，累遷國史院編修、集賢直學士、廉訪使、翰林學士、翰林學士承旨。延祐三年卒，年七十，有雪樓集四十五卷行于世。鉅夫宏才博學，被遇四朝，忠亮鯁直，爲時名臣。文章亦春容大雅，有北宋館閣餘風。詩亦磊落俊偉，不減元祐諸人。草廬與鉅夫爲同門，早年在臨汝時，即形影不離，情誼歡洽。及鉅夫以江南行台侍御史，銜命搜求隱逸，即強邀先生，携來京師。逮廉訪閩海，復敦請赴其任所，以圖歡聚。故論交誼之厚，實以鉅夫稱首。見吳文正集卷十「程世京伯崇字說」、卷十四「賀程雪樓生日啓」、卷三十「送李雁塔序」、附錄「年譜」、程雪樓集卷首「楚國文憲公雪樓先生年譜」、卷十一「遠齋記」、卷二十六「壽吳幼清母夫人」、四庫全書總目提要卷一六六「雪樓集」、元史卷一七二、新元史卷一八九本傳。

(5)張珪：珪字公瑞，涿之定興人，蔡國公柔之孫，淮陽王宏範之子也。年十六，攝管軍萬戶。至元十七年，拜昭勇大將軍管軍萬戶，鎮建康。後國家昇平，遂轉文官。自行台侍御史，累歷廉訪使、行台御史中丞、樞密院副使、中書平章政事、翰林學士承旨。一生典重兵，掌政柄者數十年。泰定元年，詔行經筵。珪薦草廬「經學之師，當代寡二」，主經學之進講。三年，復薦草廬自代謂：「目今兩朝實錄，未經進呈。累朝嘉言，多合紀錄。載事修辭，全資學識。又有遼金宋史……纂修，曠日引年，未覩成效……。近蒙……伏賜存問，禮意誠厚，然須使當承旨之任，總裁方可成就，所合舉以自代」。故二人之交，雖由爲國舉材，然私誼甚篤，當可概見。見道園學古錄卷十八「平章政事蔡國張公墓誌銘」、吳文正集附錄「年譜」、元史卷一七五、新元史卷一三九本傳。

(6)董士選：士選字舜卿，眞定之藁城人，名臣文炳之子也。幼從文炳居軍旅，晝治武事，夜讀詩書不輟。及詔置侍衞親軍諸衞，以士選爲前衞指揮使。自是，累遷行樞密院僉事、行省左丞、御史中丞、行省平章政事，至治二年卒。平生以忠義自許，尤爲廉介。門生故吏，無敢以苞苴進者。治家甚嚴，尤敬禮賢士。元貞二年，士選因元明善而見草廬，以爲平生所見士，未有德容辭色，援據經傳如先生者。由是，三薦先生，不用不止。故二人之交，非情誼篤厚者，安能臻此？見吳文正集卷十一「復董中丞書」、卷二十五「送董中丞赴江浙左丞序」、卷三十九「立本堂記」、卷六十四「元榮祿大夫平章政事趙國董忠宣公神道碑」、卷八十九「祭董平章」、附錄「年譜」、元史卷一五六、新元史一四八本傳。

(7)趙孟頫：孟頫字子昂，湖州之歸安人，宋太祖之裔也。幼穎悟，讀書過目成誦。宋亡，益自力學，程鉅夫奉詔搜求隱逸，携之京師。及入見，神采秀異，世祖稱之神仙中人。自兵部郎中，累遷儒學提舉、泰州判、侍讀學士、翰林學士承旨。一生論其才藝，則風流文采，冠絕當世。不惟翰墨為元代第一，即詩文亦揖讓於虞揭范揚之間。故仁宗嘗譽之曰：子昂有過人者數事，一帝胄、二美豐姿、三博學、四操履純正、五文詞高古、六書畫絕倫、七旁通佛老之學。至治元年卒，有松雪齋集十三卷行於世。草廬始識之維揚，自是，交日益密，誼日益厚，詩文往還者終生不絕。在草廬之至交中，有若虞汲與程鉅夫然。見吳文正集卷十二「與子昂書」、卷二十五「別子昂序」、附錄「年譜」、松雪齋集卷四「送楊幼清歸江西兼寄吳幼清」、卷六「送吳幼清南歸序」、圭齋集卷九「大元故翰林學士承旨榮祿大夫知制誥兼修國史趙公行狀」、四庫全書總目提要卷一六六「松雪齋集」、元史卷一七二、新元史卷一九〇本傳。

(8)何中：華字太虛，撫之樂安人。少穎悟，篤志力學。及長，工詩善書。家藏萬卷，悉手自校訂。廣平程鉅夫、清河元明善、柳城姚燧、東平王構，皆一代文學巨擘，咸推服之。至順三年卒，年六十八。所著有易類象二卷、書傳補遺十卷、通鑑綱目測海三卷、知非堂稿六卷、六書綱領一卷、叶韻補疑一卷、補校六書三十一卷、知堂稿十七卷、通書問一卷、揩頤錄十卷、薊邱述遊錄。與草廬為中表，情誼尤厚。見江西通志卷九十九、卷一〇〇、卷一〇一、卷一〇二、卷一〇三、卷一〇五、卷一〇六、卷一〇八「藝文略」、卷一五二「列傳、撫州府」、吳文正集卷三十四「送何太虛北遊序」、元史一九九、新元史卷二三四本傳。

(9)吳全節：全節字成季，號閑閑，饒州之安仁人。年十三，學道龍虎山。至元二十四年，應乃師張留孫之召入京。元貞元年，授沖素崇道法師、南嶽提點。大德十一年，晉崇文弘道玄德眞人、玄敎嗣師、總攝江淮荆襄道敎都提點。至治元年留孫卒。二年遂加特進上卿玄敎大宗師，而爲玄敎二代掌敎。至正六年卒，年八十有二，所著有看雲集若干卷。一生雅好結交士大夫，推轂善類，惟恐不盡其力。至於振窮周急，未嘗以恩怨稍異其心，時論高之。草廬以其寄跡道家，而游意儒術，明粹開豁，超脫流俗。兼又同爲南人，誼屬鄉誼，故往還頗密。由玄敎文字，頗多出先生手筆，以及全節於草廬累詔累辭之際，多所廻護。且泰定二年，先生南還，復追餞於齊化門外論之。故二人交誼之篤厚，於此可以概見。見道園學古錄卷二十五「河圖仙壇之碑」、吳文正集卷十一「答吳宗師書」、卷十二「回吳宗師書」、卷四十七「南山仁壽觀記」、卷四十八「仙巖元禧觀記」、「崇賢館記」、卷五十八「題吳眞人閣漕山詩」、卷九十三「玄敎宗師張上卿挽詩」、新元史卷二四三「釋老」。

(10)許功甫：撫之臨川人，草廬總角赴郡學補試，遇之旅邸，覩其所作，嘗勉而敎之。乃同預鄉貢，遂相款密。自是，或數歲一見，先生自稱，情誼深厚，有若父子師友焉。見吳文正集卷七十三「許母王夫人墓誌銘」。

⑾曹元用：元用字子貞，其先東阿人，後徙家東平之汶上。幼資稟俊爽，而篤志於學。後以學行，自學正累遷編修、主事、都司、翰林待制、太子贊善、翰林侍讀學士。天曆二年卒，有超然集四十卷。草廬與子貞，同官翰苑，復共修英宗實錄。及泰定三年，朝賜草廬，先生嘗函請斡旋懇辭之意曰：「子貞相知……，望於當路一言……。表稿及呈省公文錄見，至幸一過目，爲澄審處之。」故二人非情誼殊厚者，豈足臻此？見吳文正集卷十二「回曹子貞尙書書」、元史卷一七二、新元史卷二〇二本傳。

⑿王結：結字儀伯，其先易之定興人，至祖逖勤，遂徙家中山。結幼聰敏，讀書數行俱下，從名儒董朴受經。年二十餘，游京師，以薦侍仁宗於潛邸。後累歷典牧太監、集賢直賢士、路總管、侍讀學士、廉訪使、行省參政、中書參政、翰林學士、中書左丞。順帝至元二年卒，年六十二，有文忠集十五卷行于世。結立言制行，皆法古人，晚年，尤邃于易。張珪曰：結非聖賢之書不觀，非仁義之言不談。詩多古體，大抵春容和平，無鉤棘之態。文亦明白暢達，不涉雕華。詞必規乎正理，學必切乎實用。草廬與之交誼甚厚，不唯爲撰宏齋記，答其有關性理之問，且其子思恭，亦嘗從先生受業。見吳文正集卷二「答王參政儀伯問」、卷十二「回王儀伯書」、卷三十一「贈王士溫序」、卷四十四「宏齋記」、滋溪類稿卷二十三「故資政大夫中書左丞知經筵王公行狀」、四庫全書總目提要卷一六七「文忠集」、元史卷一七九、新元史二〇八本傳。

⒀蕭士贇：士贇字粹可，寧都人，玄萊冰崖之仲子也。篤學工詩，與草廬交久誼厚。先生嘗序其庸言曰：交遊二十年，聽其議論，推服焉。有詩評二十餘篇、李白詩補註行于世。江西通志謂冰崖集爲其

所著，殊誤。見吳文正集卷十五「蕭粹可庸言序」、江西通志卷一六九「列傳、寧都州」。

⒁柳貫：貫字道傳，婺州浦江人。幼有異禀，穎悟過人。稍長，受業於金履祥之門，復從方鳳吳思齊游，故學養深厚，工詩善文。自教諭，累歷學正、國子助教、儒學提舉、翰林待制。至正二年卒。年七十有二，門人私謚文肅先生。爲文本于經學，精湛閎肆，蔚然也一家言。復善篆籀，杜本謂其妙處，不減李冰陽。有近思錄廣輯三卷、字系二卷、金石文字十卷、柳待制集四十卷。草廬不僅雅相推重，譽之天下士將被其澤。且後日覆函謂：奉示教帖，沈疴頓覺減半。故二人情誼之親厚，躍然紙上。見吳文正集卷十二「復柳道傳提舉書」、宋文憲集卷三十一「元故翰林待制承務郎國史院編修官柳先生行狀」：四庫全書總目提要卷一六七「柳待制集」、元史卷一八一、新元史卷二三七本傳。

⒂李季度：生平待考。僅知其博覽彊記，才瞻思敏。然家貧身賤，數奇不遇。與草廬情誼殊厚，嘗於其詩序中云：昔予養親，每多借助，吾之異姓兄也。見吳文正集卷三十二「李季度詩序」。

⒃盧摯：摯字處道，一字莘老，大都之涿州人。至元中以能文薦用，累遷路總管、集賢學士、廉訪使、翰林學士承旨。元初能文者，號稱姚盧，謂燧與摯也。古今體詩，則以摯與劉因爲首，有疏齋集行于世。草廬當其自江西廉訪使入拜翰林學士時，嘗序而送之。且推許其所作古詩，類魏晉清言。而古文則有三代虎蜼瑚璉之色。逮大德七年，草廬自京南還，嘗與賈鈞、詹士龍、元明善、珊竹介諸寓公奉疏致幣，率子弟迎先生至眞州講學。故二人之交，不唯既久，且情誼亦頗契厚焉。見吳文正集卷二十五「送盧廉使還朝爲翰林學士」附錄「年譜」、雪樓集卷十四「盧疏齋江東稿引」、新元史卷二三七本傳。

⒄劉安仁：東昌堂邑人，年二十四，爲行省掾，後累遷建昌縣丞、餘干州判、工部主事、監察御史、尚書省郎中，有古大臣風。與草廬訂交於京師，情誼深厚，二十年如一日。見吳文正集卷六十五「元贈少中大夫輕車都尉彭城郡侯封彭城郡張夫人墓碑」。

⒅鄧文原：文原字善之，杭州之錢塘人。年十五，試浙西轉運司，冠其曹。至元二十七年，自杭州學正，累歷翰林編修、儒學提舉、國子司業、翰林待制、廉訪司僉事、廉訪使、集賢直學士、國子祭酒、翰林侍讀學士。天曆元年卒，年七十一，有巴西集十五卷行于世。文原豐姿溫粹，儀矩端嚴。爲文溫醇典雅，字法尤媚，與趙子昻齊名。當大德延祐之世，獨以詞林耆舊，主持風氣。元之文章斯時爲盛，文原實有倡導之功。草廬以子昂之介，始相結識。其後，過從甚密。既爲撰其子衍字說，復序送其提學江浙儒學。及繼草廬除國子司業，不惟亦主改革教法，若先生然。且泰定二年，共預經筵之進講。故二人情誼親厚，於此可以概見。見吳文正集卷十「鄧衍字說」、卷二十五「別趙子昻序」、「送鄧善之提學江浙儒學序」、卷七十三「元故中奉大夫嶺北湖南道肅政廉訪使鄧公神道碑」、四庫全書總目提要卷一六六「巴西集」、金華黃先生集二十六「嶺北湖南道肅政廉訪使贈中奉大夫江浙等處行中書參知政事護軍追封南陽郡公謚文肅鄧公神道碑」、元史卷一七三、新元史卷二〇六本傳。

⒆鄭松：松字特立，亦名復，撫之樂安人。累貢於鄉，由是見知於郡守。德祐間，元軍逼境，制置使左次於撫，崇陴浚隍，募人鑿鴻鶴山，復盱江故道，以灌城下，而利固守，松應募而城焉。復損沒官田租八十萬，俾莊戶爲兵，以助守。宋亡，猶有圖復者，徼之爲助，松以民兵應之。所部勇猛悍戰，獨

能大軍遇，故世以奇士稱之。中歲與草廬友善，嘗同隱布水谷者數年。諸子世忠、敎忠、保忠，亦俱從先生受業。大德丁未卒，有唐山初稿晚稿藏于家。所著皇極經世續書，於邵子所記，頗有更定，而書法視邵子尤謹。其論國統離合，草廬以爲世儒所不及。見吳文正集卷七十三「故鄉貢進士鄭君墓碣銘」附錄「年譜」、江西通志卷一五一「列傳、撫州府」。

⑳夏文泳：文泳字明道，號紫淸，信州之貴溪人，玄敎一代大宗師留孫之侄也。大德四年，始至京師。八年，授元道文粹中和法師。皇慶元年，晉封眞人。至治六年，吳全節卒，遂嗣爲玄敎三代大宗師。九年卒，年七十有三。其淸愼博雅，三敎九流之書，無所不精究其奧。風標俊偉，談辯絕人。故一時賢士大夫，館閣名流，皆與之爲方外交。草廬旣與乃師全節交深，故與紫淸情誼，亦甚篤厚。嘗函之云：澄京師三年，相與眞若符契。見吳文正集卷十二「與夏紫淸眞人書」、金華黃先生集卷二十七「特進上卿玄敎大宗師元成文正中和翊運大眞人總攝江淮荆襄等處道敎事知集賢院道敎事夏公神道碑」。

㉑虞孟修：孟修，虞集之母兄也。爲江州務使，値歲飢，商旅不行，致官督虧課如實，在繫彌年。賢太守某，憐而脫之，俾歸乞貸以償。後賴草廬分函四方故舊，集賢入償得解。故二人情誼之親厚，於此可以槪見。見中齋劉先生文集卷一「贈虞孟修序」。

㉒馬祖常：祖常字伯庸，本雍古部人，後徙家靜州。七歲知學，資穎悟。及長，受業於張𣅿之門。延祐元年，初行科擧，鄉會試俱第一。自應奉翰林文字，累擢監察御史、國子司業，翰林待制，典寶少監、太子贊善、翰林直學士、禮部尙書、行台中丞。順帝至元四年卒，年六十，有石田集行于世。爲文

精瞻鴻麗，詩則才力富健，爲元代文學之巨擘。草廬嘗函介鄉士涂雯造謁，并請「進之教之」。故二人非情誼深厚，又安能若是！見吳文正集卷十二「與馬伯庸尚書書」、四庫全書總目提要卷一六七「石田集」、滋溪文稿卷九「元故資德大夫御史中丞贈推忠協正功臣魏郡馬文貞墓誌銘」、元史卷一四三、新元史卷一四五本傳。

㉓劉岳申：岳申字高仲，吉安之吉水也。以草廬之薦，除遼陽儒學副提舉，不赴。後授泰和州判官，致仕。有申齋劉先生文集行于世。其文辭約峻潔，所撰碑文，尤多可補史傳之略。晚年學行益者，虞揭諸人，咸皆推重。而四方執贄而來者，亦足相躡於庭。與草廬尤厚，監丞國學，既餞之于洪；主講經筵，復函譽之爲鄉國增光。且謂未能長侍左右，良可惜也。見申齋劉先生文集卷一「送吳草廬赴國子監丞序」、卷四「答吳草廬書」、「與吳草廬書」、卷十二「祭草廬先生吳公文」、江西通志卷一四六「列傳吉安府」、四庫全書總目提要卷一六七「申齋劉先生文集」、新元史卷二三七本傳。

㉔貢奎：奎字仲章，其先大名滿城人，後徙家寧國之宣城。十歲能文，及長，博通經史。大德六年，自太常奉禮郎，累遷翰林編修、儒學提擧、翰林待制。天曆二年卒。年六十一，有雲林集行于世。爲文溫粹典雅，不事斧鑿。詩則與虞揚范揭，在伯仲間，亦元代文學之重鎭也。當其提學江西時，與草廬頗多往還。及江西鄉試，同爲考官，又多所酬唱。復跋其文集，而子師泰，亦從先生受業。故宋元學案，稱奎爲草廬同調，亦先生之知交也。見吳文正集卷五十六「題貢仲章文稿後」、卷九十三「豫章貢院即事，奉和雲林提擧」、玩齋集附錄「年譜」、四庫全書總目提要卷一六七「雲林集」、新元史卷二四

一本傳。

㉕珊竹介：字仲清，中統間，爲江東宣慰使，去官，遂家眞州焉。大德七年，草廬還自京師，道出揚州，仲清乃與工部郎中賈鈞、南台御史詹士龍、湖廣廉訪使盧摯等，具疏奉幣，率子弟至揚州，迎致先生爲諸子師。及卒，草廬嘗遣使越二千餘里致祭。故二人情誼之篤厚，於此可以概見。見吳文正集卷八十九「祭沙卜珠宣慰文」、附錄「年譜」、江西通志卷一七二「人物志、流寓、揚州府」。

㉖周南瑞：吉安之福安人，博學清操，銳意古學。與草廬友善，多所論講。所著有江西老圃集，天下同文集四十卷。見江西通志卷一〇八「藝文略」、卷一四六「列傳、吉安府」。

㉗張䇓：䇓字達善，其先蜀之導江人，僑寓江右。及長，從金華王柏受業。自六經語孟傳註，以及周程張邵之學，靡不潛心玩索，故所造甚宏。至元中，江南行台中丞吳慶，延至江寧學宮，中州士大夫，皆遣子弟從遊。逮在眞州，學者益衆，稱導江先生。夾谷之奇揚剛中，爲其門人中之尤顯著。後累官教授，大德壬寅卒，年六十七。所著有四經歸極、孝經口義、淮陰課稿等。長草廬三歲，先生自謂，視之猶兄也。故二人頗有往還，亦先生知交之一焉。見吳文正集卷十五「張達善文集序」、卷七十二「故文林郎車豐路儒學教授張君墓誌銘」、元史卷一八九、新元史卷二三四本傳。

三、雖有交往，而情誼厚薄無法考定者

㉘范梈．梈字亨父，一字德機，臨江之清江人。家貧早孤，母熊氏守志撫之。天資穎悟，所誦輒記

憶。居則固窮守節，竭力以養親。出則假陰陽之教，而給旅食。耽於詩，用力精深，人罕所知。年三十六，始北遊京師。董士選迎之家塾，薦爲翰林編修。後累歷廉訪司照磨，翰林供奉。天歷二年卒，年五十九，有范德機集行于世。爲文雄健，近體詩尤工。又善大小篆、晉隸書。與虞揚戴揭齊名，亦元代之文學巨擘也。草廬早年識之於鄉里寓者之門。嘗以博學多才藝，特立獨行譽之。故二人雖曾相識，然情誼之厚薄，無法稽考。見吳文正集卷八十五「故承務郎湖南嶺北道肅政廉訪司經歷范亨父墓誌銘」、元史卷一八一、新元史卷二三七本傳。

(29)賈鈞：鈞字元播，眞定之獲鹿人，元初名臣居貞之子也。幼淵黠有度量，由擢茶提舉，累擢監察御史、廉訪司經歷、行台都事、刑部郎中、中書參知政事、皇慶元年卒。大德七年，草廬自京還鄉，至揚州，嘗與珊竹介、盧摯等，率子弟，迎先生講學於眞州。故二人亦有交往，惟交誼之情形待考。見吳文正集附錄「年譜」、新元史卷一六七「本傳」、道園學古錄卷四十四「臨川吳先生行狀」。

(30)周昂霄：昂霄字翀之，撫之崇仁人。工於聲律，至元間，充濂溪書院山長，有樓筠集行於世。草廬嘉其行檢端敬。嘗序其文集。故二人雖有交往，而情誼之厚薄，亦無法稽考。見江西通志卷一五二「列傳、撫州府」。

(31)雷思齊：思齊字齊賢，號空山，撫之臨川人。少業進士，應舉不第，乃寄跡於老氏，居種湖觀。才高學廣，氣盛辭贍。詩則精深工緻，豪健奇傑。有和陶詩三卷、易圖通變五卷及空山漫稿行於世。草廬識之於巴山，共論老氏學，甚爲相契。故二人雖有往還，然是否情誼深厚，亦待考。見吳文正集卷二十二「空山漫稿序」、江西通志卷九十九、卷一〇一「藝文略」、卷一七九「仙釋、撫州府」。

(32)詹士龍：士龍字雲卿，先州之固始人。父鈞，仕宋爲勇勝軍都統，與元軍戰於隆化，身受九創，被俘不食八日卒。士龍在襁褓中，世祖命董文忠以爲子。及長，魁梧精敏，善騎射，諸兄忌之，辱爲虜子；後訴之文忠，遂復其氏。自鹽運司判官，累除淮南路推官、監察御史、廉訪司僉事，年五十八卒。大德七年，草廬還自京師，至揚州，嘗與珊竹介、元明善、盧摯、賈鈞等，率子弟迎先生講學於儀眞。故二人亦有交往，然情誼之情形，則無可考。見吳文正集卷七十一「詹統制墓表」、朱文憲公集卷二十三「詹士龍小傳」、道園學古錄卷四十四「臨川吳先生行狀」、新元史一七四本傳。

(33)吳正道：正道餘干人，明六經，尤邃於小學。許愼說文，有不足者，輒補之。所著有六書原、六書通正、六書淵源圖、字體正誤、隸古存古辨韻譜。草廬嘗問以楷模假借乎？曰取義也，乃大爲敬服。故二人亦有往還，唯交誼之深淺，無可稽考。見江西通志卷一〇一「藝文略」、卷一六一「列傳、撫州府」。

(34)詹崇樓：崇樓字叔厚，撫之樂安人。經義貫融，宋末擧進士不第，有厚齋奎光集若干卷行于世。大德中，夏友蘭建鰲溪書院于邑，草廬請崇樓主教其中，學者多所成就，故二人亦有往還，然交誼之情形，是否篤厚，待考。見江西通志卷一五二「列傳、撫州府」。

(35)張清志：清志，橫渠之裔，乾州之奉天人。史傳作志清，又訛爲清忠。年十六，從眞大道教七祖李德和學道，自是道業大進；逮嗣岳德文爲掌教，遂授演教大宗師，凝神沖妙玄應眞人。以厭謁請之煩，逃去。朝廷重其名，給驛致之。清志徒步至京師，深居簡出，人或不識其面，達官貴人請謁，輒託病臥內，不交一語。然着德名宿，則迎謁暢談甚歡。泰定二年，草廬養病天寶宮之別館。因其徒，知其特立獨行之跡，乃大爲敬慕。後嘗往晤，以其不事迎送，門人不敢爲通。及秋，清志答訪草廬於史館，亦未及晤而返。故二人雖相互傾慕，然似未晤面；僅屬神交，是以未可列入先生知交之流也。見道園學古錄卷六「吳張高風圖序」、畿輔通志卷一四〇「金石、涿州、元、元應眞人張清志道行碑」、吳文正集附錄「年譜」。

四、後輩俊彥，折節下交者

(36)劉鶚：鶚字楚可，吉安之廬陵人。幼警敏，篤於學。及壯，復北走燕趙，南遊湖湘，以廣覽天下之名山巨川，風土文物。故心胸宏恢，所吟亦佳，草廬殊爲愛重之。既稱「愛之如吾子」，復讚其詩云：「無一體不中詩人法度，無一字不合詩家聲響。後自揚州學錄，累除湖廣提學，翰林修撰、廉訪副使、宣慰使、終行省參政。有惟實集四卷、外集一卷，行于世。故鶚堪稱後輩俊彥，爲先生折行輩與交者也。見吳文正集卷十七「劉鶚詩序」、江西通志卷一〇八「藝文略」、新元史卷二一七本傳。

(37)李敬心：撫之宜黃人，家富饒，篤于學，嘗捐其廬舍，以爲邑學之址。後以學行，累仕石城教諭、建寧學正、常熟教授，皆出草廬之薦也。故敬心亦先生折行輩與交之後輩俊彥。見道園學古錄卷三十四「送李敬心之永嘉學官序」。

⑶饒扑：建昌之新城人，延祐元年舉于鄉，明年試禮部不中，以特恩選爲儒學教授。文工行敦，草廬深器之，嘗薦充國子助教而未果。故扑亦先生折節下交之後輩俊彥。唯江西通志選舉表，不載其舉于鄉，未知孰是。見吳文正集卷三十一「送左縣尹序」、江西通志卷二十四「選舉表、元甲寅鄉試」。

㊴左祥：建昌之新城人，爲草廬任職詞館時之屬吏。以其才優守固，先生雅重之，嘗以良吏譽之。後遺香山縣尹，先生有序以送之。所著有勸學文、擇交論及增續諭俗篇，故祥亦先生折節與交之後輩俊彥。見吳文正集卷二十一「送左縣尹序」、江西通志卷一〇六「藝文略」。

㊵武恪：恪字伯威，宣德人。初以神童，遊學江南，先生爲江西儒學副提舉，薦入國子學。明宗在潛邸，選爲說書秀才。及明宗欲起兵陝西，諫阻之。左右惡其言，遣歸。文宗知其名，除秘書監典簿，秩滿，累遷中瑞司典簿，汾西縣尹，皆不就。至正間，復授沁水縣尹，授經郎，亦不赴。生平好讀周易，終日堅坐，或問學以何爲本，曰以敬爲本。有水雲集若干卷，宋元學案列之爲草廬同調。故恪亦先生折行輩之忘年交也。見宋元學案卷九十三「草廬學案」、元史卷一九九、新元史卷二三五本傳。

㊶吳尙：尙字伯達，撫之崇仁人。學行俱優，草廬館之于家，以教諸孫者數年。後造豫章，先生嘗爲函介李伯瞻，故尙與草廬爲賓主，乃鄉誼，亦屬後輩俊秀之忘年交焉。見吳文正集卷十二「與李伯瞻學士書」。

參考書目

吳文正集　元吳　澄
吳草廬集　元吳　澄
申齋劉先生文集　元劉岳申
道園學古錄　元虞　集
滋溪文稿　元蘇天爵
程雪樓文集　元程鉅夫
元朝文類　元蘇天爵
純白齋類稿　元胡　助
吳正傳先生文集　元吳師道
清閟閣全集　元倪　瓚
玩齋集　元貢師泰
金華黃先生文集　元黃　溍
圭齋集　元歐陽元
松雪齋集　元趙孟頫
東山存稿　元趙　汸
王文忠集　元王　結
許魯齋集　元許　衡
柳待制集　元柳　貫
清容居士集　元袁　桷
剡源戴先生文集　元戴表元
佩玉齋類稿　元楊　翮
存復齋文集　元朱澤民
元朝秘史　元佚　名
元朝名臣事略　元蘇天爵

牧庵集　元姚燧
大理紀行　元郭松年
秋澗大全集　元王惲
宋　史　元托克托
湛然居士集　元耶律楚材
扈從集　元周伯琦
元　史　明宋濂
宋元學案　明黃宗羲
宋文憲公全集　明宋濂
說學齋稿　明危素
王文忠公集　明王褘
雲林集　明危素
元史紀事本末　明陳邦瞻
讀史方輿紀要　明顧祖禹
大明一統志　明李賢

國朝紀錄彙編　明沈節甫
新元史　清柯紹忞
四庫全書總目提要　清永瑢
江西通志　清趙之謙
畿輔通志　清李鴻章
山東通志　清張曜
江南通志　清黃之雋
古今圖書集成　清蔣廷錫
大清一統志　清彰穆阿
元詩紀事　清陳衍
元詩選　清顧嗣立
浙江通志　清嵇曾筠
明　史　清張廷玉
湖北通志　民國張仲炘